JN064506

# 上海の表情

感染発生から収束までの55日間
新型コロナウイルスとの戦い

何建明 著

波多野優 訳

何 建明
He Jianming

1956年、中国江蘇省生まれ。ノンフィクション作家。第一回、第二回魯迅文学賞連続受賞。『中国作家』誌編集長(2005-2008)。中国作家協会副主席、中国報告文学(ノンフィクション)学会会長。ノンフィクションを中心に意欲的な創作活動を行い、話題性に富んだ鋭敏な問題の暴露本が多い。2019年、ノーベル文学賞候補として挙げられた。

プロローグ

# 「ゼロ」から「ゼロ」までの55日
# 世界構造に影響を与えた
# 「疫」との戦い……

　2020年1月15日は、極めて普通の日だった。

　しかしこの日、目に見えず、触れることのできない「アイツ」は、2400万余りの人口を擁する大都会——上海にひっそりと潜り込んで来た。この日から、新型コロナウイルス感染症（英語の略称はCOVID-19）が襲撃した武漢から1300余里（約650㌔㍍）も離れたにぎやかな東方の大都会を、空前の感染症との戦い——「戦役」ならぬ「戦疫」——に巻き込んだ。

　56歳の武漢籍の女性——後に「上海1号患者」と呼ばれることになる新型コロナウイルスのキャリア——が、その夜、上海市長寧区にある上海同仁病院に隔離された。

　その夜、私はこの1号患者とほとんど肩を触れ合わんばかりの「擦れ違い」状態にあった。蘇州の故郷から上海市街に入り、同仁病院を経由して浦東の私がいつも宿泊するホテルにチェックインした。これが私の上海における「戦疫」の全過程の始まりだった。

　この全過程を時間的に言えば、上海の新型コロナウイルス感染者が「ゼロ」だった2020年1月19日から、戦疫を経て上海市が感染陽性患者「ゼロ」を宣言した3月3日までであり、しかもその記録は、私がこの本に書いている現在まで続いている。

　この大都会は、新型コロナウイルスと戦った世界の大都会の中でどこ

も達成できなかった二つの記録を打ち立てた。それは、

・医師が一人も感染しなかったこと
・市民を一日たりとも生活上、パニックに陥れなかったこと

だ。武漢を見て、さらにイタリア、ニューヨーク、ロンドン、パリの感染拡大を見れば、大上海のこの記録がどれほど希少であるか、お分かりいただけるだろうか。

「ゼロ」から「ゼロ」までの55日間、私は2400万人余りの上海市民とともにこのとりとめのない困惑、甚だしいいらだちから、恐るべき孤独、泣きたくても涙が出ない状態を経て、そこから自信を取り戻し、感染症との戦いに全力を集中し、この戦疫に全面的に勝利するまでの全過程を過ごし、体験した。

私が次のような観点を持ち始めてからもう何年にもなる。

災難、戦争、大事故に対して、厳粛に、正確に、客観的にまじめに記録し、しっかり目を見開き、批判的な目でその過程に出現した醜悪、無能な人と出来事を見極め、見抜かなければならないと思っている。それには民衆の生命、安全と危険の境界を無視した無能な官僚らのあらゆる所作も含んでいる。例えば、武漢の感染症発生初期の真相隠蔽や、無能指揮、生命軽視、管理の混乱などの現象が挙げられ、これらはすべて厳正に、厳しく公表し、批判を加えなければならない。

災難の中で示された武漢の医療従事者の勇敢な行動、武漢市民の中央や省市の統一的な指示に対する積極的な協力姿勢、自主的な行動、全国各省（自治区、市）、軍の奮闘、鐘南山ら専門家の積極的な貢献に称賛を忘れてはならない。

戦争、災難に直面して称賛すべきは、人道的、道徳的に崇高な人物であり、いかなる醜悪、過ちも隠蔽、無視せず、良心、正義、公平と真理のために強大な光芒と力量を発揮した人々だ。だからこそ、官僚主義ゆえに、無能力ゆえに、民衆の生命を無視し、大事なときに、政策決定、決断を躊躇し、人民の生命、財産に巨大な損失を与えた連中に比べて、

困難、災難に直面して、人民の生命と財産が脅威を受け、都市や農村が崩壊に瀕していたときの果断、英明で科学的な決定を行った人々、さらに困難な防疫戦において発揮された高度の戦闘技術、崇高な思想および管理経験に満ちた行為に対して、われわれは最も神聖な、最も真摯な敬意を表さなければならない。

「ゼロ」から「ゼロ」、その間のさまざまなコロナ禍対策を総合した「上海方式」は、基本的にそれ自体が人類文明史上、現代都市史の古典的な意義を持つ詩であり、なぜこれを賛美するかは言うに及ばない。生き生きとした繁栄を取り戻した上海の快適で美しい光景を見るにつけ、戦疫中の「上海の表情」がおのずと浮かんでくる。感染症の街にいた「内側の視点」から読者の皆さまにその状況をお伝えしよう。

　それは庚子の年に中国で起きた戦疫の重要な構成部分であり、上海独自の「戦疫史」であり、私個人の戦疫史でもある。

　感染拡大によって、私は思いがけず上海に「足止め」され、毎日、この街の感染症戦争における表情の一つ一つを細かく感じ、観察する機会を与えてくれた。その表情には恐怖があり、また寂しさがあり、また孤独だが、時に温もりを感じ、血沸き肉踊ることもあった。

　つまり、さまざまな感情が繰り返し次から次へと押し寄せて来たのだ。

「1号患者」と擦れ違い

1月15日午後の夕食前後、すでに上海には新型コロナウイルス感染「1号患者」が現れていたことを少しも知らない私は、故郷で開催された「文学と芸術の輝き」展に参加後、クルマに乗って上海に入った。この展覧会は私が故郷を離れて40数年後に初めて50編余の作品を集めて故郷の皆さんに報告するためのものだった。当地の名士であり、文学理論家の丁暁原先生からいただいた次の一言をよく覚えている。

「蘇南は古来才子を輩出しているが、何建民を現代の秀才の一人に数えるべきである。」

　私はこの言葉に心から感動した。なぜなら彼は中国の最も偉大な改革開放の時代に生を受け、40年の時間を掛けて、50編余の作品を書いて来たことが一つの歴史プロセスの重要な証拠に他ならないからだ。歳月と人生を浪費していなければ、自分自身が貴重なのだ。

　数十年来培ってきた確立された作業時間の習慣が、私の文学に対する執着と情熱をかなり説明してくれるだろう。今年の春節も同様だった。

　2020年1月15日夜、上海に到着後、私は翌日の取材スケジュールの手配を始めた。その後、上海市内の中心街、郊外を歩き回った。

　上海は近年、注目を集めた重大事件が何件もあり、私は春節の数日を調査と取材に充てようと思っていた。当時、武漢を除いて誰一人として、新コロナウイルスが重症急性呼吸器症候群（SARS、サーズ）のような感染症であるとは念頭になく、まるで関心がなかった。後に、新コロナウイルスがSARSよりもひどい感染症だと証明されて恐怖を感じたのは、私のすぐそばに「2号」、「3号」の感染者がいて、自分と同じテーブルでコーヒーを飲んだり、そばを啜ったりしていたかもしれなかったからだ！

「何主席、春節前に浙江に取材にいらっしゃいませんか？」

　１月18日午後、上海浦西を取材していた際に、浙江省高級人民法院（高等裁判所）の知人から電話で誘いがあった。

「春節前はあと何日出勤しますか？」

　――私は1月19日に行けば、2、3日取材できると考え、先方の意向を聞いた。

「1月23、24日になると、みんな年越しの準備をしますから、取材は難しいと思いますが、ここ数日なら都合がいいと思います。」

「それじゃ、明日午前、杭州にうかがいましょう。」

　日程がこのように変わることには慣れっこになった。

　1月19日早朝に上海を出発した。スーツケースは浦東のホテルに預けたままにしておいた。すでに1月22日早朝の北京行きの高速鉄道のチケットを予約していたからだ。

　1月19、20日杭州、金華などで「作戦」を連続し、浙江のいくつかの重点法院で「絨毯爆撃」式の集中取材、調査を行なった。

　1月21日、浙江省高級人民法院の魏副院長の案内で、丸一日、寧波を取材した。収穫が多かった。寧波の法律執行は全国をリードし、とりわけ執行が困難な面、および海事関連法の執行面で多大な貢献をしている。最高人民法院の周強院長は特に私に彼らのことを言及したことがある。取材の時間が予定をオーバーし、夕食も彼らの食堂で取り、それもそこそこに私は帰路につかなければならなかった。

「そんなにお急ぎならなければいけないのですか？」と魏副院長が気を使って尋ねた。

「そうなのですよ。明朝、上海から北京に戻り、明後日は人民大会堂で

開かれる春節祝賀会に出席しなければなりません。私が買ったチケット
は明朝8時発の高速鉄道ですので、今晩はできるだけ早く上海に戻りた
いのです」と話した。

「それであれば止むを得ませんね。運転手さん、食べ終わったかね？
大急ぎで何主席を上海までお送りしなさい」と、魏副院長は運転手に言
い付けた。

「大丈夫です。すぐ出られます」と、衝立の向うで食事をしていた運転
手が答えた。寧波から上海市街まで杭州湾海上大橋を渡る約3時間のド
ライブだ。

　後に知ったことだが、1月21日の時点で、武漢の新型コロナウイルス
感染拡大はすでに非常に深刻化していたが、多くの人々が知らずに、春
節前の日常生活を送り、出張中の私も同様だった。ただ、その日の午後、
寧波法院で取材中に、突然、スマホが鳴った。家人からのウィーチャッ
ト（WeChat）だった。「北京、上海でマスクは売り切れたそうです。寧
波で買えるかどうか、大至急探してみて！」とあった。

　そんなに深刻な話なのか？　私は心の中では笑っていた。しかし、家
人からのメッセージなので、重視しないわけにはいかない。取材中だっ
た私は止むを得ず、家人が送って来た微信の内容を紙に書いて、横に座
っていた法院幹部にこっそり見せ、遠慮がちに「本当なのかどうか、こ
れじゃわからないが……」と言った。

　その幹部も笑うばかりで、何も言わない。

「マスクを数枚買えますか？」と彼に頼んだ。

「大丈夫です。」

　5分足らずで、2枚のマスクが私の前に置かれた。「速いですね！」私は

びっくりした。

　彼は「私のオフィスに行って持ってきました」と言った。

　私は話もせずに笑いながら開けてみた。ブルーの布製で、医療用マスクではなかった。寧波では外部世界ですでに大敵が現れていることを少しも知らないのだな、と心の中でつぶやいた。

　SARSを経験していた私には、まだ警戒心が残っていた。家人は医師だったから、事態が深刻でなければこれほど大騒ぎして命令口調になるはずはない。

　帰路、運転手はかなりスピードを上げた。雨が降りしきっていたので、夜景はほとんど見えなかった。連日、浙江各地を取材して歩いた疲れが出て、うとうとしているうちに上海に着いた。運転手に礼を言って部屋に行き、荷物を整理して翌朝の北京行きに備えた。

急ブレーキ、「ステイ上海」

「北京に帰って来ないで！　武漢で大問題が起きているのよ！　全国的に危険で、特に列車、飛行機に乗るのは大変危ないそうですよ！　感染拡大が深刻で……」

　北京にいる家人や友人が立て続けに電話やメールで、私の北京帰りを押しとどめた。

「そんなに深刻なのか？」―私には信じられなかった。連日、法院の取材に没頭して、「外部世界」で何が起きているのか全く意に介していなかった。

「そうだ。確かな情報は武漢で感染性疾病が発生した。当時のSARSとほとんど同じではないか！」北京の友人は要人ばかりなので、情報は信頼に足るはずだ。

「われわれはSARSを経験してきた、何を恐れる？」私は自信がよみがえってきた。17年前、北京がSARSで大騒ぎになったとき、私は防疫戦の最前線にいて、呉儀や王岐山ら当時の中央や北京市政府上層部とともにSARS攻撃の最前線で2カ月にわたって取材し、すべてを見ていた。「私は恐れなかった……」

「あなたは恐ろしく感じないかもしれないけれど、私たちは恐ろしいわよ。言うことを聞いて帰って来ないで！　上海に何日かいて、状況を見てから北京に戻って来て……」

　北京の家人から来た便りはほとんど「命令」だった。それじゃ、帰れないのか？！　私もそう決めざるを得なかった。急いで、チケット払い戻しの手続きをしなければ……。

　深夜に払い戻しができるのか？　家人は忙しくなった。チケットを旅行代理店、シートリップのネットで検索して、結果を伝えてきた。キャ

ンセルする人が多すぎて、待機番号は1000番以上……。

「放っておこう。順番待ちもしなくていいよ」と答えた。払い戻ししなくても数百元損するだけだが、払い戻しないのも悔しいと思った。

「私たちをからかっているのよ」と家人は怒り心頭だった。

「どうしたんだ？」

「彼らは小細工をしているのよ。たった今、順番待ちは数十人になったのよ。それから十数分たったら、彼らは突然、手作業に変わったので電話で手続きをしてくれというのよ。でも、電話はずっとお話し中よ。」

「もう少し順番待ちしてみて、それでだめなら仕方ないね。彼らも大変なのだろう。」

　私は落ち着いていた。なぜなら、会社が金もうけをするための「奥技」があり、こうした類のことは彼らが得意とするところだと知っていたからだ。しかし、私が思いも寄らなかったのは、全国的にチケットの払い戻し請求が起きていることだった。

　武漢で大事件が起きている！　そうでなければ全国的にパニックになるわけがない。春節に里帰りをしたくない人がいるわけがないのに、これほど多くの人がチケットの払い戻しを求めているのは大事件が起きている証拠だ。みんな感染症の爆発的な拡大を恐れているのだ！

　私も緊張が高まり始めた。

　なぜこんなことになってしまったのだ。春節そっちのけで、恐れおののいている！

　1月21日の夜は、疑ったり、信じたりしている間に過ぎ去った。上海は小雨が降り続き、窓ガラスをたたく雨音は私の眠気を妨げた。

気持も不安定だったので、夜半になると怪しげな夢を見た。長江の水が突然、真っ赤になっている、アッ、血だ！

驚いて目が覚めた。起きて、窓のカーテンをそっと開けてみると、見えたのは長江ではなく、黄浦江だった……。川は静かに流れ、何の異変も起きていなかった。しかし、眠れなかった。

1月22日は上海で「馬鹿みたいに」にじっと待っていた。友人はほとんど出勤せず、年越し用品を買いに出かけ、中にはショートメッセージやウィーチャットで新年のあいさつを送り始めた人もいた。22日は春節までまだ二日もある。新年のあいさつには早過ぎないか？

私は自問自答しながら、自分でもスマホで「年賀」のあいさつを「グループ発信」した。人より一足先に発信するのは、積極的で情熱的だと思われるし、人それぞれのメッセージに応じて逐一返信する必要もないから、結構手間が省けると思った。その効果は抜群だった。鉄凝、李氷、銭小芊などの上司、友人、同僚が次々に「引っかかり」、彼らから年賀のあいさつが返って来た。

1月22日、上海にいた私には、やっておかなければならない大事なことが二つあった。一つは武漢の事態はどうなっているか情報を集めること、もう一つは上海高級法院指導部と私の間で、上海で発生した数件の難事件の経過に関する取材日程を調整することだった。

当然のことながら、もう一つしなければならないことがあった。「食べものなしの春節」を避けるために、買い物をすることだ。そうだ、上海に少なくてもあと数日は滞在することになったので、故郷の蘇州にいる老母を見舞いに行こう、などと考えた。

初めて『感染動向日報』を真剣に読み、初めて感染症発生状況を真剣

に分析した。危険なように感じたが、「SARSの再来となるのはあり得ないだろう」と思った。

　1月22日早朝、メディアで知った前日の感染症発生状況は次のとおりだった。

　国家衛生健康委員会（国家衛健委）衛生緊急事務室の情報によると、2020年1月21日0時から24時の間に、同委が収集した国内13省（区、市を含む、以下同じ）の新型コロナウイルス感染症の確認症例報告は149例（北京市5、天津市2、上海市7、浙江省5、江西省2、山東省1、河南省1、湖北省105、湖南省1、広東省12、重慶市5、四川省2、雲南省1）で、新規死者は3例（すべて湖北省）だった。湖北を除いて6省で新たな疑似症例26例（上海10、浙江10、安徽2、江西チワン族自治区1、広東1、四川2）が報告された。同日24時の現在までに、国家衛健委は13省の新型コロナウイルス感染症の感染確認症例の累計は440例（北京10、天津2、上海9、浙江5、江西2、山東1、河南1、湖北省375、湖南省1、広東26、重慶5、四川2、雲南1）で、その中に重症102例、死亡9例（すべて湖北）と報告した。湖北省を除く12省の疑似症例の累計は37例（山西1、吉林1、黒竜江1、上海10、浙江10、安徽3、広東1、江西チワン族自治区2、海南1、四川5、貴州1、寧夏回族自治区1）。

この時点で、日本の確認症例1、タイ3、韓国1が報告されたのがわか

った。

　目下、追跡中の濃厚接触者は2197人、すでに医学観察を解除された者765人、なお1394人が医学観察中だ。

　以上は政府系メディアの報道だが、「SARS戦争」の前線で指導部や専門家に取材した経験もあれば、中国医療チームが支援したアフリカの「エボラ出血熱治療」に関する作品も書いたことのある私には、武漢の新型コロナによる肺炎は、当時の「SARS」の恐ろしさには及ぶまいと感じていた。しかし、時期が春節にぶつかり、この頃、中国の庶民を家に閉じ込めておくことは難しいだろうと思った。

　こうした報道を見ながら、内心の判断は二つに分裂した。新型コロナウイルスはSARSより脅威か、そうでないかと。

　上海の中心街は目に見えて人出が少なくなっていた。普段は人波でごった返す黄浦江沿いの道路や陸家嘴ビジネスセンターも、日頃のにぎやかさが消えていた。しかし、私はみんながすでに家に帰って年越しを迎えているだろうとたいして意に介していなかった。もしくは、もしかしたら感染症に対してみんながもう警戒心を持つかもしれないとも思った。静かな雰囲気を好む私には、逆にうれしかった。

　2020年の春節は上海でこのように静かで快適に祝おうと思っていた。

武漢に徹底注目！

私は気楽に考えていた。コロナを含めてすべてのことを楽観視していた。しかも武漢の『長江日報』が早くから伝えていたニュースも真面目に読んだ。例えば、元旦当日のコロナは「ヒト－ヒト感染」しないという情報だ。

　【2020年1月1日『長江日報』】市衛生健康委員が通達。新型コロナウイルス感染症の「ヒト－ヒト感染」事例は発見されていない（黄琪記者）　12月30日夜、武漢で発生した原因不明の肺炎に関する情報がネット上に流れた。翌31日正午、武漢市衛健委は「ヒト－ヒト感染」の現象は発見されていないと表明した。

　　最近、武漢の一部の医療機関が診察した肺炎患者の多くが、華南鮮城に関連していることに気が付いていた。市衛健委はこの報告を受けた後、全市の医療機関、衛生機関に南海鮮城に関連のある症例探しと追跡調査を指示した。現在、すでに27症例を発見、そのうち7例が重症で、その他の症例は安定してコントロール可能で、2例は病状が好転し近く退院の予定。

　　説明によると、患者の症状は主に発熱で、少数の患者が呼吸困難で、胸部写真に両肺浸潤性の病巣が見られる。目下、すべての患者が隔離治療中で、濃厚接触者の追跡調査と医学観察を継続中である。さらに華南鮮城に対する衛生学調査と環境衛生措置も実施している。

　　武漢市は同済病院、省疾病管理センター（CDC）、中国科学院武漢ウイルス研究所、市伝染病病院、市CDC等の臨床医学、

流行病学、ウイルス学専門家の立会い診察を組織した。専門家は病状、治療経過、流行病調査、実験室の初歩的な検査等の各方面から分析し、上述の症例をウイルス性肺炎系だとの認識を示した。

目下のところ、調査ではヒト－ヒト感染現象は未発見であり、医療従事者の感染も未発見である。現在、病原に対する検査および感染原因に対する調査を実施中である。

同済病院の専門家は次のように説明している。

ウイルス性肺炎は冬から春に多く見られ、散発的あるいは爆発的に流行し、臨床的な主な症状は発熱、全身倦怠感で一部に呼吸困難、肺浸潤影が見られる。ウイルス性肺炎はウイルスの毒性、感染経路および宿主の年齢、免疫状態に関連する。ウイルス性肺炎を引き起こすウイルスは、インフルエンザウイルスとともによく見られ、その他はパラインフルエンザウイルス、サイトメガロウイルス、アデノウイルス、ライノウイルス、コロナウイルス等である。

専門家は以下のように注意を促している。

ウイルス性肺炎は予防、コントロールが可能であり、予防上、室内の換気が必要であり、密閉空間、換気の悪い集会場、多数の人が集まる場所は避け、外出時にはマスクを着用し、臨床的には対症療法がメインとなり、ベッドで休養を取る。上述の症状、特に発熱が持続する場合はただちに医療機関で診察を受ける。

武漢のメディアの報道が、後に全国民の罵声を浴びることになるのは、「ヒトーヒト感染現象は未発見」という一言にあった。この一言が、全武漢、全湖北を奈落の底に落とし、かつ全国14億人に感染症拡大の苦痛を与えんばかりの結果になった。

　いま当時の武漢を振り返ってみると、確かに憤りを覚えさせられる。この報道で「ヒトーヒト感染の可能性がある」と市民の注意を喚起していれば、武漢は後の感染の爆発的拡大やそれに付随する代価を支払わなくて済んだ。

　しかし、ことはそれほど簡単ではなかった。後に分かることだが、当時、実際に武漢の感染拡大はすでに深刻化し、死亡症例も発生していた。今だから言えることだが、防疫の経験のない都市、また広州や北京のようなSARSの経験がない武漢では、誰が異常、狡猾な新型コロナウイルスに重度の警戒感を持っただろうか？

　実は警告を発した人物はいた。医師、李文亮はその中の一人だった。

　しかし、当時、武漢の公安部門は李文亮ら8人を「デマをばらまいた」という名目で「訓戒」処分にした。しかも、この事件が中央および地方のメディアで明らかにされたのは、彼らが「不法分子」と断定されてからだった。

　李文亮は武漢市センター病院の医師で、彼自身の回想によれば、12月30日、彼は患者の検査報告を見て、SARSコロナウイルスの確度の高い陽性反応が出ていることに気付き、同窓の臨床医師に防疫面の配慮を促した。こうしてウィーチャットで「SARS診断症例7例」の情報が流れた。

　当時、関連情報を流した医学交流グループが三つあった。それらは、武漢大学臨床04クラス、協和紅会神経内科、腫瘍センターだった。感

染症発生初期にこれらの情報は重視されなかった。しかし、武漢の「関連部門」はこの「デマ」を異常なまでに重視した。

1月1日　武漢警察当局は次のように布告した。

　　　一部ネットユーザーが不実な状況下でネット上に不正確な情報を発表、拡散し、社会に悪い影響を与えた。当局は調査を経て8人の違法分子を召喚し、法に依拠して処分した。

その後の事態の進展は、武漢のすべての人にとって想定外であり、「関連部門」上層部にとっても想定外だったのは、李文亮らは間違っていなかっただけでなく、もしこの警告が武漢の上空に発信されていたら、武漢は決して現在のようになっていなかっただろうし、全中国ないし人類史の2020年も、こうはなっていなかっただろう。

後に、李文亮はウイルス戦争の第一線で倒れたが、全国民の怒りが爆発したこともよく知られている。かつこれはある種の覚醒だ。それらの危機意識に欠け、功名心にはやり、住民に罪を負わせてでも責任を取ろうとしない官僚的なやり方には、一つの決して軽視できないインパクトのある行動だったと思う。

李文亮事件は社会に強い啓蒙や警鐘を示してくれただろう。そうでなければ、後にまた損をすることが起こるに違いない。

武漢で発生した感染症がその後の事態に発展したのは、初期の段階で武漢官界、一部の医療や衛生部門のやり方と惰性的な考えに密接な関係がある。こういった弊風こそ憎むべきものだ。

無数の生命と血の代価、ならびに計り知れない経済的と社会的な損失

および国家イメージを損なった代価を払ったということは、われわれに二度と繰り返して勇敢に真実を話す人々を抑圧したり貶めたりしてはいけないことを教えている。もし、真実を話す人を抑圧し貶める社会や政治生態が存在すれば、結局被害を受けるのはこの社会であり、ひいてはこの民族を苦難と災難に向かわせる。

李文亮事件はこれで「終わり」ではなかった。1月3日、当局は彼に「訓戒」を受けたという承諾書に署名を要求した。彼はその後も病院で通常通り勤務した。この間、彼は新型コロナウイルスの患者を診察し、同月10日、咳の症状が現れ始め、11日に発熱、12日に入院した。

「その時、私は通報がなぜヒト−ヒト感染はなく、院内感染もないと言っているのかと思っているところだった。」

彼は集中治療室、ICUに移され、その前にPCR検査を行ったが結果は出ていなかった。説明する必要があるのは、今回の新型コロナウイルスが特に狡猾であり、武漢で使用されたすべてのPCR検査による感染しているか否かの判断は、後にPCR検査の結果が陰性でも感染の可能性を完全に排除できないことが明らかになったことである。これが次の「集団誤診」という最悪の結果を招いた。

2020年元旦から1月10日までの期間はどのような時期だったか？ 医師である李文亮はもちろんそんな「政治」と「大局」を知ったわけがない。

1月6日−1月10日、武漢では同市の「両会」(人民代表大会と政治協商会議) が開催された。そのあと引き続き、湖北省「両会」が開かれた。これらは既定の「大事」であり、武漢と湖北の「第一級の大事」や「大局」だった。そんな折、誰かが武漢でウイルス感染が起きているという

「デマ」をまき散らせば、当地の「政治の大事」と「社会の大局」に影響を及ばすので、李文亮らを捕まえるのは何の不思議もない。捕まえなければ彼らに甘すぎるではないかと思われるだろう。

　　　霊たる湖北、楚々として人心を魅了する。文化と旅行と銘打
　　つきらめく名刺を作り出し、荆楚の大地を人々が憧れた『詩と
　　遠方』にしよう。

　これはネット上を幅広く流布した湖北省の省長が1月10日前後という武漢で感染症が爆発した重要な時期に行った政府活動報告の内容の一節だ。「詩と遠方」—今年一年の開幕は武漢と湖北にとって苦しくてたまらないではないか？「詩」が全くない。湖北の年初に語られた「詩と遠方」はある種の皮肉になった。
　現実というものはまさにこのように無情だ。
　1月22日　上海初日の私は、武漢側で公表されていた感染症情報を大づかみにふるいにかけた。それらを総合すると以下のとおりだった。
　元旦（2020年1月1日）、李文亮ら8人に対して処分を下した理由は、おそらく「両会」の「政治」と「大局」の原因の他、前日の2019年12月31日に武漢市衛健委が発表した「肺炎病変」に関する第1号『通報』の内容に関わりがあるだろう。

　　　最近一部医療機関は多数の肺炎病例が華南海鮮城に関連のあ
　　ることを発見した。すでに発見した27症例のうち、7例が重症で、
　　その他の症例は安定しコントロール可能で、2例は病状が好転

し近く退院の予定。武漢市は同済病院、省疾病管理センター
(CDC)、中国科学院武漢ウイルス研究所、市伝染病病院、市
CDC等の臨床医学、流行病学、ウイルス学専門家の立会い診
察を組織した。専門家らは病状、治療経過、流行病学調査、実
験室の初歩的な検査等の各方面から分析したところ、上述の症
例をウイルス性肺炎だとの認識を示した。

とのことだった。
　これが、武漢政府関係者が今回の肺炎を「ウイルス性肺炎」と認識し
た最初だった。しかし、このとき専門家は、ヒト－ヒト感染未発見、医
療従事者に感染者なし、と認識していた。
　上述のニュースの中で私が注目したのは、あるウイルス学者が次のよ
うな認識を示していたことだ。

　　　ヒト－ヒト感染のシグナルがないことが重要であり、既知の
　　ウイルス性肺炎はヒト－ヒト感染が基本である。したがって、
　　これは未知の新ウイルスともいえる。

　こうしたことから、当時、新たに出現したウイルスに対する専門家の
知識が極めて少なかったことが分かる。これが今回の感染症拡大の鍵を
握っている問題の一つだ。「敵」を知らなかったら、トラブルが発生す
るのは当然だ。
　実際に、この『通報』から、私は武漢市衛健委が既知のウイルスを排
除し、来襲している感染症を「通常の疾病」とみなしていることが分か

った。当号の『通報』は次のように言っていた。

> 「ウイルス性肺炎を引き起こすウイルスはインフルエンザウイ
> ルスとともによく見られ、その他はパラインフルエンザウイル
> ス、サイトメガロウイルス、アデノウイルス、ライノウイルス、
> コロナウイルス等である。」

　武漢の感染性肺炎は「明確なヒト－ヒト感染は未発見」という結論の
もとに事態は進展していた。われわれ外部の人間が「武漢では何も起き
ていない」と信じるに足る十分な理由があったのだ。
　1月3日、武漢市衛健委は以下の第2号『通報』を発出した。

> 　1月3日午後8時点で、原因不明のウイルス性肺炎と診断さ
> れた患者は44例あり、そのうち重症は11例。

とのことだった。依然としてそれほど深刻ではなさそうだった。

　1月5日、武漢市衛健委は以下のような第3号『通報』を出した。

> 　同日午後8時点で、原因不明のウイルス性肺炎と診断され
> た患者は59例あり、そのうち重症は7例

とのことだった。この『通報』の結論も相変わらず「ヒト－ヒト感染未
発見、医療従事者に感染者なし」だった。また、ウイルス自体に対して、

同委は明確に次のように回答していた。

> インフルエンザ、鳥インフルエンザ、アデノウイルス、SARS、マーズ（MERS、Middle East respiratory syndrome＝中東呼吸器症候群）等の呼吸器官病原は排除する。病原鑑定と病因追跡作業は継続中である。

ということだった。この『通報』で、華南海鮮卸売市場が関連していることを知った。『通報』に次のような一節があった。

> 肺炎性ウイルスを引き起こしたのは野生動物の可能性がある。華南海鮮市場では料理用の野生動物を売っている。しかも、武漢は渡り鳥の経由地なので、ウイルスがここで野生動物の体内で交差し、発生した可能性がある。

これはウイルス専門家の見解で、権威があった。

　ここまで読んで、私はただちに2003年のSARSのことを思い出した。おそらく上海はじめ全国の多くの人々は「野生動物料理」が17年前に深刻な感染症を引き起こしたことを思い出したのではないか。

　憎むべき「ゲテモノ食い！」私は、生きているサルの頭を切り開いて、脳みそを食べるといった憎むべき「ゲテモノ食い」の悪人面が脳裏に浮かんだ。何と残忍極まりないことか！　しかも、奴らは食べながら大笑いしていた。

　憎むべき悪習だ！

1月11日　武漢市衛健委は第4号『通報』を発出し、その中で初めて「原因不明のウイルス性肺炎」を解説の形で告知した。

　奇怪な多数のトゲが生えた球形のウイルスのイラストが広く知られるようになってきた。それが獰猛な「新型コロナウイルス」だった。

　武漢で死亡例が出た！

　第4号『通報』によると、

　　　１月10日午前零時現在、武漢の新型コロナウイルス感染症症例41例を診断、うち2例は退院、重症7例、死亡1例、その他の患者は病状安定。濃厚接触者は合計739人、うち医療従事者は419人、全員医学的観察中、関連症例は未発見。

武漢のこのときの対外発言は、依然として、医療従事者の感染者未発見、ヒト−ヒト感染の明確な証拠はない。

　実際、1月2日に上海にいた私は、全くの素人として武漢の最初の感染状況を見聞きして、それほど深刻だとは思っていなかった。実際に感染症、特に肺炎は、一人か二人の死亡者が出ても、ウイルス性で治療できるのか否かを断定するのは極めて困難だ。鐘南山のようなアカデミー会員としての高名な医師であれば断定できるかもしれないが、一般の医師には不可能だろう。まして、われわれ素人には「下衆の勘ぐり」に過ぎない。

　武漢感染症発生の原因は多数ある。最初はSARSに近いウイルスだと考えられたが、その後、次第にこのウイルスの「狡猾性」が発覚し、なんと正体不明なのだろう！

「お前は誰か？」「何のことか？」全く分からないからこそ、「どこから

来たのか?」「どこへ行くのか?」もまるで知らない。そこで大変なことになったのだ。

　誰もが大喜びする春節には、大多数の人々や家族は「走り回ったり、動き回ったり」しようとする。とりわけ、数億人の出稼ぎ労働者や数億人の都会人は、この時期に故郷に帰り、あるいは春節の長期休暇を利用して海外旅行をしてみようと思うだろう。

　毎年、春節中にのべ何人が移動するかというと、昨年はのべ29億8000万人が移動したのだ。少なくとも国民の半数以上が、どこかへ移動したのだ。

　何人? 5億人? 6億人? いや、少なくとも7、8億人が春節期間中に動き回ることで、生き血を吸うウイルスはさぞかし狂気乱舞するだろう。これだけ多数の中国人が血に飢えた彼らの餌食になるから、うれしくないわけがない。

　こうした重要な時期に、鐘南山は再び前に出た!

　　　華佗は南山に寄り添って再び現れ、
　　　仙薬で世界を救った。
　　　国家の危機に皆が立ち上がり、
　　　民生苦難の中であなたが先頭に立った。
　　　八方に良医は来れと号令し、
　　　四面の魑魅魍魎を切り離した。
　　　疫病神を追い払い美景を開き、
　　　晴朗な楚江の空を取り戻した。

　　　　　　　　　　　　　　——作者・吹尽狂沙

八十路の鐘南山先生に期待する、
御身は憔悴しても長弓を取る。
タカは大波の上を忙しく追い続け、
人々の安寧、リスク回避を説く。
荊楚は妖怪を退治してくれる人を将となし、
高くそびえる峰や尾根に向かって勇気を示す。
いつ中華の患は一掃されるのか？
ツバメが来る時には幸せな日々が戻るだろう。

——作者・自然

このような詩がネット上の随所で見られた。
　鐘南山先生は科学的精神、人々に対する憐憫の情や職業倫理に基づいて、「ウイルスはヒト－ヒト感染を起こしている」という警告を発し、彼は中国の精神的な神になった。
　鐘南山は迷って失望していた中国人に一筋の光明を与えたようだった。彼は確かに今回の感染症拡大の中で中国と中国人民のために、大きな功績を残した。

上海人「『毒コウモリ』は実在する！」

1月22日、上海に滞在していた私は、大多数の上海人と同じく、武漢で起きていることが非常に深刻で複雑だと考えず、楽しい春節の過ごすために、喜々として準備していた。

　この日の午前、ホテルの掃除のおばさんが部屋に来たとき、彼女が「上海っ子」として、浦東開発の体験談を語り、大いに盛り上がった。

　彼女は元来、この土地の住民で、厳橋鎮の農民の出だった。浦東開発後、彼女の一家は南浦大橋のあたりに集団退去させられた。当時、3軒を分配され、1軒は子供に、1軒には自分たちが住み、もう1軒は貸した。今は何にもすることがないので、このホテルで働いている。給料は高くないが「することがあり、家でボーっとしているよりずっといいですよ」と、彼女は話していた。

　私は浦東の人は大変だったと感じた。彼らは上海と浦東のために特に貢献し、尊敬に値する。先年、書いた『浦東史詩』で、私はここで起きた歴史的変遷を理解した。この春節は大変だろうと思って、寧波の友人が送ってくれた太刀魚をこのおばさんにプレゼントした。
「あらまぁ、悪いですね！」

　彼女は見ず知らずの客からこうしたプレゼントをされたことがないらしい。私は笑いながら、「このホテルで春節を過ごすことになってね。まだ他の食べ物もあるし、僕もこのものを焼くことができないから、遠慮しなくていいよ」と話した。
「ありがとうございます」と彼女は何度もお礼を言い、その日は数十本のミネラルウォーターを提供してくれた。「お客様はタバコも吸わず、一日中パソコンの前に座っていらっしゃる。お水をたくさん召し上がっていらっしゃるようですね。お水はたくさん飲んだほうがいいですよ。

これからお水は私が保証しますから……」と約束してくれた。

「ありがとう！」今度は私がお礼を言う番だった。ホテルの規定では毎日、掃除の時に各部屋にミネラルウォーターを4本ずつ置いてあるが、私が飲む量はその倍以上。水は私にとって重要で、とりわけ「戦備品」として極めて重要だ。

　これはちょっとしたエピソードだが、武漢に激変を起こしていた新型コロナウイルス感染症について、われわれはほとんど意に介せず、あるいは全く念頭になかった。実際には、後で分かることだが、完全に間違いだった。

　この日の午後3時、上海高院（高等裁判所）の幹部が時間どおり私の宿泊先ホテルに来て、私のインタビューに応じた。彼は数年前に上海で発生した凶悪事件 ―「80後」生まれの容疑者、朱暁東の「妻殺害死体遺棄事件」の解決と裁判の全過程を説明してくれた。

　この凶悪事件は2017年に発生し、全上海を震え上がらせた。29歳の上海の青年である朱と、結婚半年の妻が口論になり、同い年の妻を両手で残忍に扼殺し、死体を包み、あらかじめ購入してあった大型冷凍庫に105日間も遺棄していた。その残忍な手口と死体発見までの時間の長さと、容疑者が審理の過程で行った自分の行動や不倫に対する弁明が、裁判官や民衆の義憤を掻き立て、死刑にしなければ不公正だと感じさせていた。

　上海高院の幹部が事件の全容を紹介したのは、私が意外な要求をしたからだ。私が周強院長と別の法院系統の取材任務を引き受けたとき、上海のこの事件を聞き、詳しく知りたいと思ったからだ。

　彼は「こうした事件が上海で起きたのです。しかも若い世代が起こし

たのです。さらに、容疑者は犯行後、異常なほど冷静、残酷、狡猾で、法律的な正義の審判から逃げ回り、われわれ第一線の裁判官を長い間驚かせました。こうした人間はごく少数だと思いますが、IQは非常に高い。犯罪の動機はありふれていますが、犯行の手口は残忍で、人の命は随意に奪ってもよいものだと考えています。彼らはウイルス同様に罪のない人の命を奪い、社会に与える危害は甚大です」と語った。彼は私の取材に応じているときに、ある現状にごく密接する言葉を口にした。それは「ウイルス」だった。

「すみませんが、そろそろ失礼しなければなりません。高齢者介護施設に母の見舞いに行かなければなりませんので……」と彼が退出を告げた。

「お母さんは介護施設にいるのか?」と私は少し驚いた。

「父が亡くなってから、母は一人で家にいて、何を見ても父を思い出す……というので、彼女と相談して住む場所を変えることにしました。彼女が同意してくれたので、家族でいろいろ探しました。上海には素晴らしい施設がたくさんありました。あちこち見学して母も気に入った今の施設に決めました」と彼は言った。

「武漢事件には上海も警戒しています。市は今日、臨時会議を開いて防疫対策を手配しました。明日から、法院内でも当番制を敷きます。李強書記は全上海の機関に主要幹部は機関内で当番制を敷き、随時待機するよう要求しました。武漢の状況はかなり深刻なようです……。」

「じゃ、すぐに行ったほうがいいですよ!」私はそう言って、彼をホテルから見送った。

　春節まであと二日余りの1月23日は年末だ。上海ではすでに緊張感が漂い始めていた。ホテルの中ではドアを開け閉めする音が頻繁に聞こえ

てきた。
　はらはらさせる中で、庚子の新年がやって来る。

「1号患者」の真相

私は自分で自分を笑った後、その日の夜になって、スマホのニュースを見て驚いた。まずいぞ、上海にも感染者が出たか？

　中央テレビ局（CCTV）の記者が次のように報じていた。

**国家衛健委が上海で初の外来性の新型コロナウイルス感染症患者を確認**

　1月20日夜、国家衛健委は上海で初の外来性の新型コロナウイルス感染症患者を確認した。患者は56歳の女性で、湖北省武漢籍。同12日、武漢から上海に到着後、発熱や倦怠感等の症状が出たので、同15日、上海市内の発熱外来で受診後、入院隔離治療を受けている。上海市疾病予防管理部門の検査と中国疾病予防管理センターの点検を経た結果、新型コロナウイルスPCR検査結果は陽性だった。20日、国家衛健委疫病対応処置指導チームの評価を経て、この症例を新型コロナウイルスによる肺炎と確認した。現在、患者の体温は正常で、バイタルサインは安定、患者の家族2人の上海での濃厚接触者は医学観察中である。

　武漢に行った人が他の地方やその他の人に感染させるかもしれないか？おそらく、私だけでなく、2千万人余の上海人はこのニュースを見ても、わずかに「はっ」と脳裏をかすめたにすぎないのではないか。これほどの大都会の上海で、感染者が現れたとしても、「全然おかしくない」からだ。

　後で知ったことだが、この発症はすでに上海市政府の上層部が「把握

していた」──これはまさに上海らしいのだが、細部については特に慎重だった。これが後に「上海人の臆病者」と嘲笑されることにもなった。

上海人は不満たらたらだった。「ワイらが臆病だって？」「ワイらは30万人が感染した肝炎流行を経験しているんやで、なんで臆病なんや！」こんなチッポケな肺炎をワイらが恐れるっていうのか？ へそで茶を沸かすで！ もう一度言うたるぜ、感染症がきたら、臆病になったらあかん、冷静になるのがよか！」

ほら、これこそ上海人だ。あっという間に、私は「内線」で上海の1号患者の「経緯」と当時の病状を知った。さらに感動したのは、関連方面で私が上海に足止めされていることを知って、すぐに数セットのマスクを送ってくれたことだ。

「使っていますか？」─私は他人の好意をあまり気に掛けないタイプだが……。

「ご注意くださいよ。万が一ということもありますからね！」

──彼らは私に気を配ってくれて、「そうです。この洗面器に消毒液を入れておいて、外出したら手を消毒してください……」

これが上海人だ。気が利いて、用意周到だ。私は何度も感激させられた。

ここで、上海第1号新型コロナウイルス感染患者の履歴を振り返ってみる。

56歳の陳さんは長い間武漢市に住み、1月12日に上海の娘の家に遊びにやってきた。すでに彼女は1月10日に発熱の症状があったが、これがコロナに感染したせいだとは思いもしなかった。当時、みんながコロナには全く気が付いていなかった。彼女は発熱後、自分で数日薬を飲んだが、熱は一向に下がらず、全身の倦怠感、食欲不振と咳の症状も出てきた。

1月15日夜10時頃、苦しく我慢できなくなった彼女は、娘夫婦に付き添われて上海同仁病院の発熱外来にやってきた。

「どこが苦しいですか？」と診察した于亦鳴医師は、この日、臨時に発熱外来の応援に来ていた呼吸器・重篤疾患学科の医師で、経験豊富だった。「当時、メディアが武漢で新型コロナウイルス感染症例が40例確認されていると報じていましたし、この女性があの辺りの方言をしゃべっていたので、特に注意しました」と、後に于医師は述回している。

「話し方を聞くと、地元の方ではありませんね」と于医師が言った。

「いえ、違います。武漢です。娘が上海にいるので、春節で来ました」と陳さんが答えた。

「そうですか。武漢ですか。」36歳の于医師の話しぶりは穏やかでも、内心は「ドキッ」としていた。彼は13年の臨床経験から、ただちに警戒心を強め、彼女に対する「特別処理」を始めた。感染行政科副主任の劉岩紅医師とともに、陳さんを独立観察室に移動させた。

「まず、ここでちょっとお休みください。私はカルテを書きます。そのあと胸部写真を撮りに行ってください。そうすれば安心ですから。」于医師は彼女を座らせ、カルテを書いた。それから娘夫婦が付き添って、彼女をレントゲン検査に行かせた。

「いくつか注意することがあります。皆さん、マスクを着用して、感染防止策を取ってください」と劉医師はじめ周辺のスタッフに告げ、陳さんを入院治療するための発熱隔離病室の申請書を書いた。また陳さんには「緊張する必要はありませんよ。ゆっくり休んでください。われわれは最善の治療をしますからね。もし気分が悪くなったら、すぐベルを押してください。」こうした話を聞いて、陳さんは安心してベッドに横に

なった。

「于先生、胸部写真を見て状況が分かったら、われわれにすぐお知らせください」と劉医師は念を押した。

「分かりました」と于医師はうなずいた。

陳さんの胸部写真が届いた。「まずいぞ！」両肺に多発性の浸潤が広がっていた。

「SARS」とは全く異なる症状だ！

「すぐに患者さんの入院手続きをします。隔離手続きもすぐに！ 彼女の家族はまだいますか？ 彼らも隔離観察します。院内でこの患者さんが行った場所を全部消毒してください。皆さんと于先生は特に自分の体調をよく観察して、少しでも異常があればただちに報告してください。」劉医師は周囲にいた医師、看護師に伝え、今度は病院の上層部に状況を説明した。

「ただちに専門家を招聘して合同立ち合い診察を行う。」病院上層部はこの段階で決断を下した。

同夜、武漢から来た陳さんは隔離施設のある特殊病室に収容され、特殊な治療を開始した。上海ではこの時点で、「新型コロナウイルス」が一体全体なんなのかを全く分からなかったが、「最善の」治療が行われ始めた。同時に病院側は行政の上級部門とCDCの上部機関に状況を報告した。

1月16日朝、上海市衛健委は、陳さんが入院している病院で市関連の専門家による合同立ち合い診察を行うことにした。専門家の意見は病院側の診断、治療方針と一致し、併せて各種の検査も実施した。

同日午後、陳さんに関する病状と採取した検体サンプルを北京の国家

衛健委の関連部門に送った。

　当時の武漢の状況はすでにかなり深刻化していた。

　1月20日、国家衛健委の専門家も陳さんが新型コロナウイルスに感染していることを確認した。

　市政府上層部は市衛健委に直接電話で、「防疫体制整備と患者の治療に全力を挙げ、くれぐれも慎重に対処するように。とりわけ隔離を万全に行い、院内感染を絶対起こさない。同時に患者の濃厚接触者は全員隔離せよ」と指示した。市衛健委はこの指示に基づき、陳さんが入院している同仁病院に赴き、検査を実施した。

　上海市民が通常どおり出勤し、仕事を始めた1月16日から、市党委員会、市政府と大病院は次々と以下のような「内部指令」を出した。

　武漢から来た発熱者と彼らの生活圏、職場に注意し、症状が現れたら、ただちに隔離措置を採ること。

「武漢の現状はどうなっている？」と上海サイドでは武漢の状況を「偵察」していた。

「特に変わった状況ではないようだ。『両会』開催に全力を挙げているようだ！」外部が得ていた基本的な状況はこの程度だった。

　1月18日、「両会」が閉幕した。当時、武漢の各大病院の発熱外来には多数の武漢市民が押し寄せていた。

　1月19日、武漢百歩亭社区（コミュニティ）の「10万人大野外パーティ」が空前のにぎやかさで行われた。武漢では一つの県に匹敵する30万人規模の有名な大型コミュニティを知らぬ人はいない。これまでは、このコミュニティの住民は口には出さない幸福感を味わっていた。その結果、このコミュニティは武漢で初めて「中国人居住環境奨励賞」を受

賞した。春節には「野外大パーティ」が開かれ、社区の雰囲気と屋台商売の活気が十分に発揮された。10万人もの人々が一カ所に集まり、飲み食いした。人類と「濃厚接触」したいと強烈に願っていたウイルスは大喜びだったに違いない。

　後に、この野外パーティが武漢での感染拡大の「源」だったことが立証された。

　恐るべきことだった。考えれば考えるほど、恨めしい極みだ。市長が出てきて謝っていたが、何の役にも立たない。この野外パーティによって何人が亡くなり、何人が重篤になったことかと思う。

　1月19日、私は何をしていたか、思い返してみる。

　朝は上海にいた。午前中に浙江省高級人民法院が浦東に派遣してくれたクルマに乗って、杭州に向かった。同日午後、同法院の幹部の案内で、浙江省ネット法院を参観した。これまでの限界を突破して、インターネットを通じて法廷審理を行い、効率が極めてよくなってきていた。

　1月20日、私が金華に取材に向かう途中、上海は国家衛健委の次のような通知を受け取った。

「上海に来た武漢籍の陳さんは新型コロナウイルスに感染していることが確認され、彼女が上海市の最初の症例となった。」

戦「疫」の火ぶたが切られた

「いやぁ、ほんとに来てしまったんだ！」驚愕を伝える上海語が飛び交った。新型コロナウイルス感染症患者の第1号の発生は、中国第一の大都会である上海にも警告を発した。

中国共産党上海市委員会書記の李強と市長の応勇は、ただちに関連部門の代表を招集し、防疫対策、特に春節期間の感染拡大への対策を検討した。

「患者救済に全力を上げ、彼らの命を救え。」

「濃厚接触者を隔離し、感染拡大を阻止せよ。」

「市民と病院の防疫体制を確立し、各社区の隅々まで徹底せよ。」

「虹橋、浦東の交通要衝の防疫、安全の確保に全力を挙げよ。」

人民広場に隣接する上海市政府ビルから発表される指令は、次第に厳しいものとなり、この指令が上海市内の各職場、各街道、農村部の隅々まで徹底された。

「陳さん、安心していいですよ。私たちはここにいますから、安心してくださいね。どこかおかしかったり、変な感じがしたりしたら私たちに言ってくださいね。」

陳さんの病室では医師、看護師がやさしく話しかけてくれて、最初は心配したり、焦ったり、情緒不安定になったりしていた彼女は、次第に表情を和らげ、希望に満ちた笑顔を見せるようになってきた。同時に、専門家の指導に基づいて、病院側は絶えずさまざまな薬物や治療法について調整、実験を行い、科学的、合理的で患者の状況にふさわしい対症療法を続けた。

2020年1月20日は、武漢、湖北にとって、また全中国にとって感染拡大防止の「正念場」の日だった。この日、鐘南山がCCTV（China

Central Television、中国中央電視台）の番組で、武漢の感染症ウイルスは「ヒト−ヒト感染」することを正式に明らかにしたからだ。

全国が騒然となった。それは武漢で起きている感染症が全国的に拡大すると宣言したに等しかった。「武漢人」は武漢自体に1000万人余りいる上に、全国を行き来している「武漢人」は何人いると言うのか？ 一人が何人に感染させるのか？「武漢人」がいない地域はないし、「武漢人」と接触した人がいないわけがない。

CCTVは同日の午後、国家衛健委の上級専門家である鐘南山先生を招いて、視聴者が関心を持っている問題について記者が質問した。彼は武漢の新型コロナウイルスはヒト−ヒト感染する特性を持っていると断言した。

今回の感染症には以下の三つの特性がある、と彼は語った。

第一に、武漢に行ったことがある、または武漢から来たという武漢関係の患者が95％以上を占めること。

第二に、すでに広東と武漢で1例ずつヒト−ヒト感染が確認されていること。

第三は、医療従事者に感染者がいること。

後にメディアの取材を受けた83歳の医療従事者が涙を流している映像が流れ、全国民を再び感動させた。

実際、鐘南山は、李文亮ら武漢病院医師らのかなり人数がすでに感染し、しかも重篤であることを知っていた。

彼はこの日、新型コロナウイルスとSARSを比べると、多くの共通点はあるものの、並行的であり、全く別なウイルスだが、一面では類似性もあると述べた。そして、新型コロナウイルスの感染は拡大中だが、

SARSに比べて感染力が強くはないが、マスク着用が重要だとも指摘した。

　この後の経過が証明するように、鐘南山のこの判断は「画期的な意義」を持っていた。さらに、彼のヒト−ヒト感染が明確になったことから、全国民の警戒心が一挙に高まった。

　一夜の間にマスクがなくなった。14億人がマスクを着用し、2、3日に1枚とし、医療機関では一人1日1枚とすれば、膨大な枚数が必要になった。

　何でもある中国で、マスクが足りず、消毒液が足りなくなるとは。ニュースで海外からのマスク支援を知った。あるときは全世界の華僑が動員され、武漢の救急医療マスク不足を緩和した。数十年にわたる努力によって、これほど多くの住宅を建て、これほど多くの高速鉄道を建設したが、いまだにマスクのような基礎的な物資が不足していることに気付かされた。普段あまり気にしていなかった物が全民族に影響する大事になろうとは！

　新型コロナウイルスがもたらした教訓は、深く胸に刻まれ、同胞愛を思い出させてくれた。

「ヒト−ヒト感染」によって、上海はただちに陳さんと濃厚接触した娘婿の感染を確定診断した。そのことも鐘南山の科学的な英断であることを立証した。

　この数日前に「ヒト−ヒト感染はあり得ない」と発言した専門家たちは、SNSで徹底的にたたかれ、全国民の怒りは「共通の敵」に向けられ、中には「吊るせ」とか「恨み倒せ」といったものまであり、思いつく限りの字句が噴出した。

　実際、この時期から十日間余りは社会全体の世論は混乱状態で、スマ

ホには真偽が定かでない情報が飛び交った。思い出しても空恐ろしい。確かに迷い、困惑のるつぼにいたわれわれは、どうすればいいかと狼狽えた。

　私が上海に戻る前日の1月21日、上海市民はドラッグストアや商店に駆け付けマスクや食料品を買占めたが、「重大ニュース」は多くなかった。しかし、市政府機関と党委員会が入っているビルでの関係機関の幹部たちは、多忙を極め、昼食も走って行って大急ぎで済ませすぐに職場へと戻るほどだった、と知人が後に話した。

「なぜ？」と私が聞くと、その知人は、「われわれは感染症がすぐにやって来ることをすでに知っていました。それは暴風雨のような勢いで大上海に襲来したのです。その上、後二日で春節でした。その数日の間に上海にやって来る人、やって来ようとしている人は何人だったと思いますか？」

「何人？」私は本当に知らなかった。

「1000万人でしたよ。毎日のべ1000万人が上海に近づいていたのです。」

　何とすさまじい！　網の目のように張り巡らされた陸海空の交通機関を利用して、毎日1000万人以上が上海に押し寄せる。どのような状況か、想像を絶していた。地上を来る人、空から来る人、水上から来る人がいる。マイカーで遊びに来る観光客だけでも数十万人に上る。

「これらの来訪者に対する防疫対策をどうするか？　一人の感染者を見逃すと、あっという間に100人、1000人、1万人に拡大します。上海全域に広がるのは明らかです。」

　そのとおりだと思った。

　しかも、そうした春節の来訪者が、もともとの上海在住者2400万人

余りに加わるのだ。その防疫対策をどうするか？ 西側世界の人が聞いたら驚いて腰を抜かすかもしれないが、中国人でも大上海がどうなるか、想像もつかない。

　上海はこの時期、いったいどうしていたのだろうか。私は1月23日の午前、21日の『解放日報』と当日のテレビニュースを見て、以下のような状況だったことを知った。

　最初の記事は、楊浦区の公衆衛生サービスセンターがどのような住民サービスを行なったか紹介していた。当時、こうしたコミュニティの体験談を紹介することが、間違いなく上海市の上層部にとって、他のコミュニティに対して効果的な意義を持つ手法だったのだろう。

　その楊浦社区の体験の一端を披露しよう。

　　　人口18万の楊浦区殷行コミュニティ衛生サービスセンターは2年前に「全国社区衛生サービスセンター・ベスト100」に選ばれた。今週、ここに「復旦大学上海医学院付属社区衛生サービスセンター」の看板が掲げられた。「今後、全国的な医学界の重鎮である祝墡珠教授が精鋭を殷行に送り込み、全科の転院、トリアージ（識別救急）を自ら指導し、授業や論文指導も行う」と、同センターの崔明主任が語っていた。

　　　「健康民生」プロセスが楊浦区に静かな変化を起こし始め、同社区はその縮図だった。記者はこのほど、楊浦区衛生計画委員会（衛計委）から次のような取材をした。

ここは上海の東北の角に位置する人口が多い区であり、高齢化に直面し、住民の健康が関心事であり、衛計委は絶えずアイディアを出し、ボトルネックを打破し、効果的な健康サービスによる住民福祉に配慮してきた。

**優れた妙手──大学・病院提携による集中的高水準「医療連携」**

　楊浦区が抱えている健康問題の解決は容易ではない。区衛計委主任の高賀通は次のように直言した。

　かつては旧工業地帯として、常住人口は130万。そのうち60歳以上が戸籍総人口の35％近くを占め、全域で重度の高齢化が進んでいる。基礎が弱く、任務は重大というのがこの区の特性であり、ふさわしい特色のある高レベル医療改革戦略を模索することが重要だとのことだ。

　率先垂範するためには、自らの特性を分析する必要があった。楊浦区は人口が多く、教育機関も多い。多くの大学があるので、大学医学部の力を借り、大学と病院間の連携を強化し、区内に南北医療連合体を作るのが医療改革の妙手ではないか。区政府は、復旦大学、上海交通大学、同済大学、海軍軍医大学、健康医学院など5大学と戦略的提携の枠組みに関する協定を結び、大学先導、専科先行の医療連合体を形成した。「楊浦−新華」、「楊浦−呼吸器科」、「上海市北部小児科連合体」、「楊浦−長海脳卒中連盟」の4大連合体の他、以下のような区所属専門医連合体も形成された。それは区センター病院を核にした「１＋８＋X」区所属南部医療連合、市東病院を核とする「１＋４＋X」

北部医療連合体、「リハビリ中医・精神衛生」を特色とする3つの区所属専門医連合体である。

　楊浦区の地図を見れば、広さ60平方キロ余りに存在する多数の医療連合、高水準の大学付属病院が、この地域全体の医療能力を高めていることが分かる。区内の隅々まですべての住民が15分以内にホームドクターがいる地域に住み、「1＋1＋1」のトリアージ（災害発生時など多数の傷病者が発生した場合に、傷病の緊急度や重症度に応じて治療優先度を決めること）の診療が受けられる。

　新江湾城に住む高齢の宣さんは、その便利さを実感している。彼には脳梗塞の後遺症があり、老妻には長年、高血圧、糖尿病などの持病がある。ホームドクターは老夫婦を定期的に訪れ、また医療連合内の楊浦区センター病院中原分院、専門医とホームドクターは共同で老夫婦の健康管理計画を立て、緊急事態に備えている。宣さんは会う人ごとに「病気を診てもらうとき、遠くまで行かなくても済むよ」と自慢している。


　上海のコミュニティのように科学的で秩序立った公衆衛生の経験が、もし武漢にあれば、感染拡大が心配されるときに、あのような「大野外パーティ」は決して行わず、武漢は今日のようにはなってはいなかっただろう。上海には普段から、公衆衛生の管理水準と能力が高いという「自負」があった。

　これは平時のやり方だったが、“戦時”の上海はどうだったか？

　1月23日になって、私は1月22日の市政府ビルの全部門が多忙だった

理由がよく分かった。翌1月23日に全面的な防疫対策を講じる準備――「戦闘準備」に全力を上げていたからだった。

1月23日の省境の防疫体制は、国道G15号線の朱橋料金所で11本のレーンを全面開放し、入口から500メートル先のサービスエリアで2カ所の検査所を増設してあった。

その理由は明らかだった。朱橋は上海と江蘇省方面を結ぶ最大の料金所だからだ。ここは防疫上最も重要な関所だ。11本のレーンの先で、体温測定が行われた。23日時点で、上海がそこまで防疫できたのは、いかにも全国的な前例となった―上海人は「臆病者」ではなく、迅速、慎重で科学的で明確に事を行うのだ。

現場でスタッフが説明してくれた。各車両の検査を徹底するために、1台当たり二人のボランティアが検査する。体温測定や検査を記録する他に、ドライバーに荷台やトランクを開けるように求めた。数人の白の防護服を着たスタッフはトラックの荷台に上って検査した。検査が終わってから解放した。

ほら！ 上海人が全国民に誇れる防疫体制を見てみよう。

朱橋検査エリアには普段民警は10余人しかいないが、防疫任務に就くために市公安局は人員を増員し、嘉定区では応援のボランティアを募集した。「『健康クラウド』で応募すれば早いですよ」とボランティアの女性の袁さんが話してくれた。通行をスムーズにするために、臨時の停車スペースを設け、オフラインで書類に記入するドライバーの便宜を図った。

「春節休暇が延長されたのでUターン時期が分散し、一日当たりの上海行きの台数は例年に比べて大幅に減っていますよ。去年は旧暦の6日が

Uターンラッシュのピークで、高速道路で上海に入るクルマは25万台に達しました。今年は防疫対策の必要から徐行運転が当たり前になりました」と、党市委員会の報道官が説明した。

本当に周到だった。思いつく関連管理部門、執行部門は全部動員され、思いつかない部門も動員されていた。細部も配慮が行きわたり、慎重だった。

鉄道駅（主に高速鉄道）の情況について、当日の上海着の列車は数百本に達していた。虹橋駅では作業員が全域で噴霧消毒を行い、重点区域の他に、列車内でも消毒液散布を行なった。この作業量は膨大だった。それでも駅の責任者は「まだ足りません」と話していた。

現在、鉄道で上海に入った人は二つの検査関門がある。

第一関門は、駅を出る前に赤外線体温測定を受けなければならず、発熱していれば医療スタッフがさらに検査をする。もし繰り返し体温を測定しても高い場合は、救急車で発熱外来がある病院に搬送される。

第二関門は、駅を出た後、スマホのショートメールを提示して、健康情報を入力してあることを証明しなければならない。湖北出身者あるいは湖北を経由して来た乗客は全員申告し、在宅隔離14日間を指示され、スタッフは乗客の所属社区に関連措置を通告する。健康情報を事前に書いていなかった乗客はその場で書いた。

これは国民皆兵の手法だった。人民戦争の繰り上げ実施であり、また「上海の経験」でもあった。

再び空港を見てみよう。

上海の虹橋、浦東の二大空港には、一日平均10万人前後の乗降客がある。「空から来る」乗客が持ち込むウイルスを防止することも重要だった。その点、両空港の対策は万全だった。前日のうちに乗降客の体温

測定装置を46基増設し、厳戒態勢を敷いていたからだ。

　他にも、現場で聞いたことだが、両空港で旅客が頻繁に使用するトイレ、ベビールーム、エレベーター、エスカレーターやその他、利用者が密集する区域では1時間に一度消毒している。また、有人、自動チェックインカウンター、案内カウンター、ラウンジなどは、少なくても3時間に一度消毒し、利用者が多いときには2時間に一度に増やしている。また、旅客が必ず通過するボーディング・ブリッジは便ごとに消毒している。

　上海の二大空港は南下、北上の主要な出入り口であり、22日夜、私が関係者から聞いたところによると、それぞれ防疫指揮部があり、合わせて400人余の医療従事者が防疫任務についていた。

「問題が起きれば、ただちに対処できます」とその友人は語った。

勤務中の警官と筆者（『澎湃新聞』記者・鄒橋撮影）

やむなく「春節祝賀会」にさよなら

1月23日昼、北京の人民大会堂で要人が集まる春節祝賀会が、予定どおり開催された。参加者は1カ月前に登録しなければならなかった。各省の副省長以上のクラスが参加でき、健康であれば、問題はない。その他は、組織ごとに割り当てられ、中国作家協会の場合は7、8人が作家代表として参加した。

　イベントは3階の大ホールで開催された。正面がステージで、ステージの下の1列目の大テーブルは中央指導者と引退した元首脳の席だ。その後ろに他の参加者が座る円卓が並ぶ。毎年、満席で国慶節（10月1日）の招待会とほぼ同じだ。

　李克強総理の主催。習近平党総書記（国家主席）が演説し、その中で全国人民が特に力付けられ希望を持ったのは次の言葉だった。

「中華文化において、ネズミ年は十二支の先頭である。そのネズミ年に入ったということは、新たな出発を意味している。歴史創造に奮闘し、未来達成を実践しよう。新たな年にわれわれは小康社会を全面的に達成し、貧困脱却に決戦を挑み、第一の百年の奮闘目標を実現し、中華民族の長年の憧憬である『民亦労止、汔可小康（民は疲れたので、一休みする）』を実現する。これは中華民族の偉大な復興を実現する過程の里程標の意義を備えている。」

　人民大会堂の春節祝賀会の現場に行けなかった私は、上海のホテルの部屋で、テレビの映像を通じて、国家指導者や首都の各界の友人知人と集うムードを感じるしかなかった。祝賀会では毎回、同じテーブルの誰かが、国家指導者と握手する光栄に浴した場合、その人がテーブルに戻って来ると、みんながお祝いの声を掛け、家に帰っても手を洗わないように、春節の福を話さないように、と言ったことを覚えている。

物思いにふけっていると、テーブルから笑い声が巻き起こっていた。意義深い現場中継だった。私はと言えば、別な意味で意義がある環境にいた。指導者と握手するのに忙しいとき、年に一、二度お会いするのも難しい老指導者——普段、彼らも私の「文学仲間」——とお会いできればうれしい。こうした人望がある老指導者は、文学青年を目指した当時の天真爛漫さや誠実さを失っていないからだ。こうした交流が毎年の春節祝賀会の特別な収穫なのだ。

　しかし、2020年の春節祝賀会では、私は新型コロナウイルスによってその収穫の機会を奪われた。しかも、そのウイルスは14億人から何を奪ったか？ それは多数の生命と家庭の幸福であり、国家全体、民族全体を深刻な危機に陥れた。

　しかし、同じ日、同じ時刻の武漢人に比べれば、われわれは文字どおり不幸中の幸いだった。春節祝賀会が開幕した午前10時、武漢市は「都市封鎖」(ロックダウン)」を開始した。

　後に知ったことだが、最初に都市封鎖を提起したのは、浙江省の中国科学アカデミー会員の李蘭娟だった。少女っぽさの抜けない彼女は、まさに17年前のSARS流行時期の浙江省衛生庁長官だったが、大の男よりもずっと風格がある女性だった。―「封鎖」しなければ汚染源は制圧されず、もっと大きな悲劇が起きる！ すでに一刻の猶予も許されない！1時間遅くなるだけで、新コロナウイルスは全国に拡大する！

　後に知ることになるのだが、1月18日、鐘南山、李蘭娟ら感染症の国家レベルの専門家は武漢に入り、同仁病院で1号患者を診察し、鐘南山は「ヒト－ヒト感染」するという驚天動地の断言を下していた。

　1月22日深夜、李蘭娟は浙江省衛健委主任から電話を受けた。近日中

に武漢から大勢の人が浙江に帰るので、第二次感染のみならず、集団感染が起きるかもしれないという内容だった。

次はどうするか？「ロックダウンです」と、このとき李蘭娟は、ただちに上層部に報告し、この果断な建議を行った。

1月23日午前10時、武漢市ロックダウン。これは感染症に対して、党中央と国務院が打ち出したタイムリーで効果的な政策だった。

しかし、有史以来初の「都市封鎖」は、生活、外出に影響を与え、心理的な衝撃も大きく、武漢人すべてを直撃した。

北京「SARS」のときに「封鎖」策を取らなかったかどうか、覚えていない。当時は「都市封鎖」の概念はなかったと思うが、外地の人が北京人を来させないようにし、われわれも北京から脱出しようとは思わなかった。

その日の午前10時から、武漢はまず地下鉄、フェリー、バス等の市内の公共交通機関を全部臨時運休とし、すべての駅を閉鎖した。鉄道の駅、空港の出発ゲートは相次いで閉鎖され、武漢の3大駅は出ることはできても、入ることはできなくなった。高速道路の出入り口は次々に閉鎖された。

記者の一人が、武漢駅に行ってみたところ、本来なら、春節で大移動する大勢の乗客であふれているはずの駅構内の大ホールは、人っ子一人なく、がらんとしていた。すべての乗客は駅から出られたが、再入場はできなかった。駅では毎日少なくとも一度の消毒殺菌を行ない、駅員は全員マスクを着用した。

天河空港では多数の乗客がチケットの変更を待っていた。飛行機での里帰りをあきらめた市民は、マイカーで高速道路の料金所に殺到した。

しかし、そこで「料金所から出られません」と告げられた。

「仕方ないな。」車は一台また一台とUターンし始めた。

「武漢市内には入れますか？ われわれ武漢人の帰宅はいいですよね。」外部からやって来たクルマは途切れなく武漢市街に向かっていた。彼らは「入っていい」と告げられた。

　ああ、誰が知っていただろう！ 武漢に入った後の運命がどんなものだったか？ 彼らが新型コロナウイルスで亡くなった2000人余りの中の一人になるか否か？ 彼らがそうした運命が待ちうけていると知ったら、武漢市内に向かって運転を続けただろうか？

　あぁ、この日こそ、武漢市内と市外の知られざる運命の分かれ道だった。

　それでは、上海は？ 上海人はこの日をどう過ごしたか？

　2020年1月24日、25日は、大人も子供も浮かれ、はしゃいでいた。旧暦の大みそかと元日だからだ。

　天に聞いても、天は答えず。しとしと降る雨がホテルの部屋の窓を静かにたたいていた。「作家としてこの特殊なときに起きていることを記録しなくていいのか？」と語りかけているようだった。

　私は突然、使命の重大さを思い知った。

庚子の年の上海は禍？ それとも福？

2020年1月25日は旧暦の元日、つまり庚子の年の春節（旧正月）だった。われわれの先祖が子年と呼んだ。

　子年は十干十二支の長子だ。60年で一回りする庚子の年は、中国の伝統的な言い方によれば決していい年ではなく、その反対に災難に見舞われる年と言われる。それは本当だろうか？

　『易経』学者は、本当であり、「理論的」に十分根拠があると言うだろう。彼らの分析は次のとおりだ。

　　　庚子の年の干支は白鼠（金鼠）で、生まれ日から運勢を占う納音では壁上土でへこたれない性格。庚子は土を敬う、地勢坤であり、徳を積んで豊かになる君子である。水を克服すれば、木がもたらす害は恐れない。したがって、木が子の位置に来れば地を滅ぼし、気力を失う。庚子の年は納音で壁上土（壁に塗った土）というように戊土を雲となす。戊癸は火と化し、火は日になり、ゆえに天雲日を承る。そこで気は浮虚の土を過ぎる。

　　　もし重土相資すれば、すなわち水木不剛、弱遇官鬼して不刑たり、すなわち衰絶自保。水土同宮して子は刃となり、きわめて反まり。盛りて亥にして衰えて子なり、陽は出て陰は伏す。

　風水先生は別に理論を有し、地球に影響を与える大風水には３線あり、一つ目は日木線、二つ目は土日線、三つ目は威力がさらに大きい銀日線（太陽と銀河の中心聯線）である。

　したがって、庚子の年の各種災難は、地球と銀日線の位置に密接な関係がある。地球は太陽系にあり、太陽は銀河系にあり、ゆえに、宇宙の

中で地球に影響を与える最大のものは太陽と銀河である。地球は太陽と銀河の中心の間を運行しているので、3点が一直線になる時、神奇なことが起きる。こうした特殊な位置関係が、3つの空間湾曲を引き起こし、大鍋の中に3個の信号を発したように、一つの特殊なエネルギー共振場が形成される。この種の共振は億万の放射線とエネルギー波に相当し、これが発射拡散されると、地球を両側から包み込み、地場障害を起こすことが想像でき、おのずと地球上の生物の異常反応を加速させる。太陽系の中で、土星と木星の体積は最大で、地球に対する影響も最大である。これらの質量の大きな惑星の引力によって、地球は、ほぼ正円に近い軌道を安定運行し、太陽から来る持続的で安定的な光線、日照を得て、これが生命繁栄の基礎になっている。

土星と木星は60年に一回転するが、この二つの惑星が銀日線に並んで絡み合うと「弟」の地球に物理的な大きな影響を与える。これが「庚子の年」が「災難の年」と言われるゆえんである。

私はこうした老荘思想に基づく「玄学」を信じているわけではない。しかし、これに反駁する能力も持ち合わせていない。信じる信じないはともかく、歴史的に明白なのは庚子の年が「順調な年ではなく」、「疫病・災難に見舞われる年」だということだ。中国の近代史を振り返ってみよう。

1840年の庚子の年。第1次アヘン戦争。西側列強が、古ぼけ閉ざしていた満清王朝の門戸を開けた。これがわが国の近代の屈辱的な半植民地半封建社会の始まりだった。

1900年の庚子の年。八カ国連合軍が対中侵略を拡大するために北京を侵犯。中国に空前の災難をもたらし、危うく領土を分割されるところ

だった。この大混乱は「庚子国難」と称されている。

1960年の庚子の年。全国的に自然災害に見舞われ、その中で河北、山東、山西は深刻で、耕地面積の60％以上に及んだ。3年にわたる大飢饉は、人民生活に壊滅的な打撃を与えた。

今年を含めて過去4回の庚子の年のうち、私は二つを経験しているが、これ以上の経験を持つ人はいないだろう。

1960年、私が生まれて間もなくだったが、全国的な大飢饉に見舞われ、多くの人が抗うこともなく死んだ。後に私が一人っ子になったのは、この「3年の困難期」に4歳年下の弟を失ったからだ。隣近所の人たちにより小さな棺桶が担がれて行われた野辺の送りで、母が号泣していたのが幼心に焼き付いている。兄弟がいないことでいじめられるのは、しょっちゅうだったが、それも兄弟がいない男の子の苦痛だった。江南は食べ物が豊富だったので、わが家は他には餓死者はなく、われわれの生活は比較的幸せだった。苦しんだのは両親、祖父母だった。

庚子年のわが家の先祖の二度の受難の歴史をたどるのは——もし私が2020年の庚子年に上海に閉じ込められていなければ、そうする必要はなかったのだが——その歴史と上海とに密接な関連があるからだ。

近代の庚子の年——1840年、上海はどんな状態だったか？　祖父も知らない。しかし、彼がその祖父から聞いた話では、当時の上海は「海」からタケノコのように顔を出したばかりだった。われわれ蘇南一帯の家々では、家の裏に竹を植えるのが普通で、冬場は北風を遮り、夏は涼しさを運び、春にはタケノコを食べさせてくれ、秋には伐採して家の雨漏りを防ぐのに使った。竹はわれわれ蘇南人にとって深いかかわりがあったので、祖父の祖父が1840年の上海を「タケノコのように」出現したと

表現した理由がお分かりだろう。

　さらに私の祖父の祖父は当時、蘇州に住み、街を熟知して商売をいていたので、貧弱な漁村の上海は眼中になかった。もし、彼が今日生きていて、上海に来ると上海人に「田舎者」と嘲笑されたら、間違いなくののしり返しただろう。「お前の棺桶は小さいだろう。ネギ坊主め。竹はお前よりずっと背が高いぞ。」このののしり言葉の意味は、ここで何を騒いでいるのだ？ じいさんが食っている塩は食っている飯よりも多いことを知らねぇな、だからお前は「上海人なのだ」。笑わせるな。俺は上海に運河や道路を作ったのだ。お前のばあさんのばあさんがどこの馬の骨か知らねぇ！

　私の祖父の祖父はやる気満々だったに違いない。上海人の資格を言うならば、現在の上海人2400万人の中で祖父の祖父に比べられる人は一人もいないだろう。どうしてか？ アハハ！ 私が彼の代わりに自慢できるのは、上海が鎮の形になったのはおそらく宋朝で、後に次第に都市の輪郭を整えていった。清朝時代になって、蘇州城内の豪商たちが次々と海辺のこの地域に移って来た。蘇州と上海の距離は古来変わらず、現在、高速道路を使えばわずか1時間だ。しかし、祖父の祖父の時代はまる二日から三日かかった。当時の唯一の「先進的な」交通手段は船だったからだ。今では、上海市街では黄浦江の他に蘇州河があるが、昔、内地人が海浜に行くための唯一の大河と言えば、蘇州河だった。蘇州河こそが上海の「母なる河」と知っている人こそ「上海人」を名乗る資格があり、黄浦江を「母なる河」と言う人は、みんな後から来た人々か、あるいは祖父の祖父が言っていた「よそ者」なのだ。

　1840年前後、蘇州の金持ちの上海移転は依然として続いていた。私

の祖父の祖父とその兄弟は、無類の力持ちで有名だった。もしそうでなければ、桂姓を圧倒し、もともとの「桂市」という名の鎮を「何市」と改称できるわけはなかった。私が生まれたとき、何姓はこの鎮の「大富豪」だった。全国に「何市」の名は他にない。

祖父の姓名は何叙生。祖父の祖父は何興生と言い、「何大力」と呼ばれていた。力持ちで、祖父によると、400キロの岩を一人で持ち上げられたそうだ。「何大力」一家が上海ではそれなりの家系だったのは、蘇州から上海に移転して有力な「大富豪」だったということであり、船舶運輸と切り離して考えられず、だからこそ祖父の祖父は、蘇州でも上海でも受けがよかったに違いない。当時の舟運業は、今日でいえば交通管理の「役人」の一種だった。それで、金持ちも貧乏人もみんな祖父の祖父を頼りにしていたのだろう。

実力を付け、人脈もできた祖父の祖父の「何大力」は、一人の金持ちの賀氏と知り合いになった。当時、上海の黄浦江西岸と蘇州南岸にはすでに街道ができ、店が立ち並び、次第ににぎやかになっていた。その変化するスピードは空前で、10年の間に人口は増え、主要な街道はラッシュが始まった。もう一つの変化は、黄浦江西岸に埠頭ができ始めたことだ。特に黄浦江と蘇州河が交差する一帯の沿岸には、一つまた一つと埠頭が造成され、現在、われわれが知っている「十六鋪」埠頭はその中の一つだ。同時に、黄浦江東岸の造船所は破竹の勢いで、沿岸各地を占領していった。

「大力兄貴、わしら一緒に浦東の辺りに埠頭を作らんかね？ わしはカネを出すので、あんたは人手を出してくれんかね」—ある日、賀氏のおやじさんが私の祖父の祖父に話を持ち掛けた。

「そりゃいい話だ。埠頭よ、埠頭だよ。船が一番先に着くのは埠頭だ。われわれの食いぶちは船だ。埠頭はいいな。人も出すが、カネも出そう」——祖父の祖父、何興生はこのように即答した。

「それでだ、埠頭の名前をどうするかだ」—賀氏が頭を悩ませていたのは、心の中では賀氏埠頭にしたかったが、祖父の祖父と「共同経営」する以上、「賀氏埠頭」とすれば、祖父の祖父は面白くないだろうと頭をめぐらした。賀氏は教養人で頭がよかったので、「中性」の名称をすぐに思いついた。どちらも受け入れられる好名称——「和氏」——をひねり出した。

「わしは賀姓で、お前さんは何姓だ。どちらも韓氏の後裔で、今では上海での商売がうまくいっている。和は貴重だ。それでわしは『和氏』の商号がいいと思うのだが、どうかね」と、賀氏は祖父の祖父の意見を求めた。

「いいな、大いに結構。『和』はいい字だ。何事によらず『和気』が大事だ。わしはもろ手を挙げて賛成だ。」

当時、ほとんどすべての埠頭にはだれそれという姓が「商号」になっていた。「和氏埠頭」は祖父の祖父と賀氏が手を結び、現在の浦東陸家嘴の黄浦江沿いの東側に造成された。現在の「東方明珠」タワーから黄浦江の東側沿いに呉淞口方向に500メートル前後の場所だ。

「現在、ここは寸土寸金、土一升金一升ですよ。1畝（ムー）（667平方メートル）あたり10億元（約160億円）で売れますよ」と、元陸家嘴開発区の初代総裁、王安徳氏が十数年前に引退するときに言っていた。

　祖父がその祖父から聞いた話では当時の「和氏埠頭」は300畝だったそうだ。そのまま子孫に残してくれていれば、われわれ何氏家は「富豪

リスト」に入っていたかもしれない。

　しかし、残念なことに、バラ色の夢は1842年の「南京条約」と西洋人の鉄製艦船の「轟音」とともに完全に滅ばされた。

　庚子の年の翌年、英帝国主義強盗は広州と香港の独占的占領を達成した後、軟弱で腐敗した清朝政府を脅迫し、権利を放棄させる屈辱的な「南京条約」締結を強行した。この条約によって、東方の大港湾―上海の門戸が開かれた。このときから上海は歴史を主宰できない新たな時代に入り始めた。

「1840年、庚子の年の上海でマラリアが大流行したんじゃ。死んだ人が何人か、あの頃の役所は統計なんか取っておらんかったが、少なくても1000人以上が死んだ。当時の上海の総人口は30万から50万だったはずだから、1000人以上の死者は大事件じゃった。」私が子供の頃、夏場に夕涼みをしていたとき、祖父が彼の祖父の話をしてくれた。

　祖父によると、その後、彼の祖父が上海で商売をするようになって、いつも身の周りにネズミ駆除剤を置くような注意を怠らなかった。

「ネズミが伝染させた病気？」と何も知らない私は聞いた。

　そのとき祖父が「その年はネズミ年じゃった。年寄りは、ネズミ年は不吉で災難が来ると言っていた」と話していたことだけは覚えている。

　うそか本当か知らないが、この祖父の話は私の幼い心にしっかり根を下ろし、われわれが蘇南一帯に住んでいたときは、食糧が倉庫にいっぱいにならなくてもネズミ駆除剤は欠かさなかった。しかも、だんだん自殺者はネズミ駆除剤を飲むものだと言われるようになっていた。

　これはおかしい！

　祖父によると、彼の祖父はその後、運から見はなされ、「下痢」が絶

え間なく続き、もう少しで閻魔大王に会うところだった。その後、何大力（力持ち）は、蘇州、上海の埠頭で一番の「力持ち」ではなくなった。

　力が出なくなった祖父の祖父は、上海での事業も下り坂になり、1875年に亡くなる頃には碗を持ち上げる力もなかった。賀氏と開いた「和氏埠頭」は、「何大力」でも支えられず、次第に西洋人の鉄製艦船の埠頭になってからは、蘇州河のはす向かいで風水がよかったこの土地は乗っ取られた。祖父の祖父が手にしたカネは二、三十両銀子（当時の貨幣）だったが、それは病気の治療で使い果たした。

「おじいさんはその後、西洋人の造船所で働いた。何家はもはやこの埠頭の株を持っていなかったからね。しかし、彼はそれでも力持ちだったから、一人で150キロ近いものを片手で持ち上げられ、その怪力で飯を食っていたんだ。上海には埠頭がたくさんあったから、それだけで十分飯を食えた」と祖父から聞いた。

　祖父の父親──つまり私の曽祖父──は、上海浜や浦東の埠頭で、力仕事に汗を流して働き、飯の糧を稼ぎ、3人の子供を育てた。祖父は末っ子だった。

　さて、この何家3兄弟は勇猛果敢で知られ、黄浦江両岸の埠頭を駆け巡っていた。しかも、当時の上海浜の埠頭は、さまざまな仕事をするさまざまな人々が活躍する場所であり、また、やくざ者の同士が激しい争奪戦を繰り返していた。何氏3兄弟は力仕事をしてきたといっても、結局のところ、病気で一生を終えたか、またはどうにかはかない命をつないでいたでしかない。祖父は一家をなし、蓄えもでき、子供も授かってから、力仕事で飯を食う生き方を変え、彼の長男─つまり私の父─を全く新しいやり方で育て、学歴を持たせた。二人目の息子─私の叔父─は

その父、祖父の遺伝子を引き継ぎ、私の父より力持ちで、「怪力で飯を食う」道を全うした。

1932年、疫病流行が祖父の「上海の夢」を完全に奪い、結局一家を挙げて、上海浜埠頭を去り、「原隊復帰」で原籍に戻り、これによってわが「何氏家」と上海の縁は切れ、今日に至っている。

そのときの疫病は戦争と関連がある。有名な「一・二八淞滬抗戦」(第一次上海事変)だ。当時、上海に駐屯していた国民党十九軍と旧日本海軍が上海で激突し、双方に多数の死傷者が出た。古来、戦争後には必ず疫病が流行した。中国第一の大都会もこの運命を免れなかった。

1932年4月26日、最初のコレラ患者が見つかり、上海市内で急速に拡大し、武漢にまで広がった。

第一次コレラ流行地は上海で、武漢が第二次の爆発的な流行地だった。上海の感染はますます深刻化し、1933年3月19日までに、上海でコレラによる死者は503人、感染者は1万686人に達した。今から見るとこの数字は深刻ではないが、死亡率は7.4%と非常に高かった。

祖父はコレラをきっかけに、きっぱり上海に別れを告げた。その年、私の父は生まれたばかりだった。祖父は「力仕事」の前途に見切りをつけ、その上、この恐ろしい疫病によって、上海に対する恐怖感が膨らみ、「わが家は幸運だった」と言うのが口癖だった。彼は死の直前、病床で私が北京の解放軍本部機関に異動になったことを知ると、「大都会はいいことなんかないぞ。人が多いので、あっという間に疫病が広がる……」と孫の私に言い含めるように話した。

庚子の年に疫病が起きるかどうか？ 誰もはっきりは分からない。しかし、武漢で疫病―新型コロナウイルス―が爆発的に発生したので、「庚

子の年には疫病」という説が世間で話題になっている。

　結局、その根拠はあるのかないのか？　現在、通信手段が発達し、世の中にはいろいろなことが起きるが、何が良くて、何が悪いのか、どれも正反両方の、極端に言えば100種、1000種類の「例証」を探すことさえできる。

　しかし、私が関心を持っているのは、上海と今回の武漢の感染症に関連する「歴史的な例証」だ。重要なのは一つの都市で、例えば、上海と武漢で同じような感染症が出現し、全く違う結果になったのは、現代文明社会は特に研究すべきテーマであり、現実的、将来的な意義があるからだ。

　われわれは重複しない災難の根源と可能性を探さなければならない。「上海経験」を研究することによって、上海がかつて経験した疫病対策の手段と苦痛から抜け出した道筋を理解できると思う。

　もしこの新型コロナウイルス感染症が北京で爆発していたとすれば、現在の武漢のような悲惨な状況にはならなかったと確信している。SARSの経験を通じて、いかなる状況か、さらにいかにしてパニックや死亡に直面したかを知っているからだ。これこそ血で贖った代価なのだ。

　上海が感染症に対処する能力が「成熟」しているのは、これまで疫病流行のたびに血を流して手に入れてきた代価と大いに関係がある。

　大上海が開かれて以来、経験してきた疫病災害は、中国の他のいかなる地域よりも多いのは、以下のような特性があったからだ。

　◉対外開放が最大で、人口最多、また疫病が発生しやすい南方に位置すること。

　◉外来列強から奴隷のような粗暴な扱いをたびたび受けてきたこと。

上海のこうした特殊性の研究は、今日、将来の中国の近代都市の防疫体制構築に資する。

　上海図書館に行って、百年来の上海で発生した疫病関連の資料を読んで、驚かされた。歴史上、これほど多くの疫病が発生していたとは！美しく繁栄した上海が、これほど多くの辛酸をなめていたとは！

　大昔にはさかのぼらないが、解放前の「民国時代」の上海では23年間の間に、6回もの天然痘大流行があった。

「天然痘」という言葉さえ聞いたことのない若い人が増えている。私が子供の頃は「どこそこのだれそれが天然痘で亡くなった」という訃報をしばしば聞いたものだった。

　史料によると、1926年から1949年の23年間に、天然痘の大流行は6回あり、死亡率はかなり高かった。腸チフスは清末の上海で2、3年に一度流行し、1930年から1940年の10年間に、上海で発生した感染症で1万5190人が発病し、死者は1万人近く、死亡率は59.5％に上った。

　専門家は私に次のように語った。旧上海時代に感染症の流行が猖獗を極めたその理由は、以下の四つだ。

　第一に、市民は自分が住んでいる街の環境保護の意識に欠け、自らの健康に対する脅威があっても聞かぬふりをし、隣の家とは「俺は俺、お前はお前の路地裏関係」で、隣近所にも街全体にも公衆衛生の概念がなく、ましてや助け合いとか予防の概念もなかった。同じ路地裏、同じアパートの住民でも、協力関係で築かれる一家意識がないのは言うまでもなかった。加えてイスラムの祭りのいけにえの無秩序な屠殺、ごみの散乱など。市民自身の衛生に対する不注意、集団的な健康の無視。汚染源も非常に多く、路地裏の汚い環境は人々の我慢の限界を超えていた。

二番目に、旧上海の下水の大部分はいかなる処理も施されないまま直接、蘇州河や黄浦江に排出され、上海の水質汚染は深刻な状態で、すでにどろどろの「どぶ川」に変わり果て、汚染は井戸水、市街地のすべての河川に及んでいた。

　三番目に、死体の処理。大多数の民衆は、死体処理が人類の健康に重大な影響を及ぼすという認識を全く持っていなかった。近代上海になって、乞食、流民が増え、彼らが死ぬと、誰も死体を収容せず、さらに感染症が流行するたびに必ず多数の死者が出たが、これらの死体はむしろにくるまれ、簡単に埋められ、あるいは埋められもせず空き地に捨てられた。

　四番目に、旧上海時代、金持ちも貧乏人も婚礼、葬式で見栄を張り、年越しの宴会も盛大で、春節、年始回り、縁日などのイベントがあると、そこが疫病の主要な感染経路になった。大富豪家族でも、上海ゲートの小金持ちでも、また郊外の農家でも、上海の「親戚友人を三日間招待する」という旧習慣を守っていた。三日間、朝から晩まで、数十人、百人以上が集まり、飲み食いし、盛り上がり、衛生に対する配慮などはなく、感染症に流行のきっかけを与えていた。

「都会病は旧上海に繰り返し疫病流行の試練をいやというほど繰り返していた」と、この専門家は話していた。

上海は早目に防疫の手を打った

「都会病？」——専門家が示した概念は、私に初めてその深刻さを想起させた。これは全く新しい名詞ではなく、よく使う言葉だ。しかしたかだか、自動車通勤時に渋滞に巻き込まれ、何時間経っても家につかない、またちょっと雨や雪が降ると、冠水していないのに道路がマヒ状態になり、あるいは電力不足で夜になると漆黒の闇に……という程度の意味に使うだけだ。

ところがウイルス感染の「都会病」を考えると、都会生活がステイホームになっただけでなく、生き生きしていた生命が瞬時に失われ、家庭が悲惨な崩壊を迎え、強大な国がマヒ状態に陥る！

今年の春節の武漢、庚子の年の春節を迎えた中国は、こうした状況に置かれている。「都会病」はガンよりも恐ろしい。

今日の武漢や今回の中国において存在している「都会病」は、感染拡大によって余すところなくはっきり暴露され、一部の仕業の醜悪さは耐え難いほどだ。新型の「都会病」は農村部と緊密に結びついている。数億人の農民工（出稼ぎ労働者）が都会と農村の間を行き来し、さらに、都会あるいは農村で裕福になった人々は都会の空港から世界の別の都会へ、別な農村へ向かう。そこで新型コロナウイルス感染症は蔓延する。このような「都会病」はおそらく核戦争よりも憂慮されるだろう。

ああ、私の街、私の上海、私の中国と中国のその他の都市よ！ こうした「憂慮」を考えたことはあるだろうか？

一つの都市は一人の人間と同じだ。よく言うように、しょっちゅう病気にかかる人はしばしば寿命が長く、一方で普段から牛のように元気で健康な男が一度の病気で命を落とす。都市や国家がそうではないといえようか！

こうした古くから言われて聞いた素朴、簡単、当たり前の常識のすべてが時に、真理よりもさらに深くて精緻なことがある。こうしたことを軽視してはいけない。

　われわれの世代は、上海で1988年夏にA型肝炎の大流行があったことを覚えている。

　A型肝炎が爆発した時点と今回の武漢の事情とはよく似ている。どちらもそれほど寒くない1月だった。春節が近づき、上海市民はどの家も年越しグッズの買い物に忙しかった。多くの家庭、職場では元日からお互いに年始のあいさつ、客を食事に招き、伝統的な親戚訪問などでにぎやかな時期だ。改革開放が始まって10余年の間に、周辺の浙江省の郷鎮に住む親戚、友人がみんな豊かになり、上海人の心は「むずむず」としていた。人々は互いに馳走をしたり贈り物をしたりして行き来し、次から次へと繰り出して、いわば「狐七化け、狸は八化け」(狐より狸のほうが化けるのは上手だということ) ということだ。

　いつから始まったのか知らないが、上海人は「アカガイ」という海鮮の味が好物になった。どの家でも食べた。「お前のうちでも食べたか、うちでも食べたぞ」、「うまかった」、「新鮮だった」とにぎやかだった。いつしか、もともと目立たなかったアカガイは、めでたい海鮮に加えられ、貴賓席に供せられるようになった。

　上海の特徴は、あるものが市民の間で流行すると、上流社会の人々が「磨きをかけ」、ますますそのレベルを上げるという傾向があることだ。かくして、アカガイは上海人の食卓の重要な話題になり、「だれそれの生活水準」にまで関連付けられて語られた。

　「でたらめだ」と。上海人はそう言ったら、「ヤバい」という意味を表

している。てっきり、これを食べた後で、腹具合が悪くなり、嘔吐、発熱、全身倦怠感を訴えた人が出てきた。

「ハハハ、それは疲れたからだ。風邪薬を飲めばよくなるさ。明日またわしのうちでアカガイを食おう」とさらにアカガイを勧めた。

しかし、発熱、全身の脱力感は、数日後になっても、体の具合が悪く、顔を見ると、黄疸が出ていた。

「どうしたんだ？ わずか三日会わない間に、顔が真っ黄色じゃないか？」と友人はびっくり仰天して、「すぐ病院に行け！」

病院に行って診察を受けると、「肝炎です。Ａ型肝炎ですよ。」

「えっ、どうしてか？」

「何を食べましたか？」

「特別なものは食べていませんよ。アカガイをちょっと……」

病院は大変なことになった。突然、次から次へ、顔色が真っ黄色の人がやって来た。最終的には上海全市に患者があふれ返り、診察が間に合わないほどだった。

感染者数30万人に達したＡ型肝炎は上海市内の路地裏、コミュニティの隅々にまで流行し、100年を超える繁華街の南京路やバンドはひっそりと静まり返り、ただ事情を知らない外部の人々が依然としてここをぶらぶら歩いているだけだった。上海人は地雷原を避けるように歩き、自分が感染するのを恐れていた。

当時、携帯電話はなく、市外通話には長距離電話料金が掛かったため、上海で何が起きたのか、宣伝がコントロールされていた外部の人は、ほんの少し知っただけで、全真相を知らなかった。ただ上海人だけが何が起きたか知っていた。

「病原菌は口から入る」、「原始人のように毛がついたまま肉を食らい、その血をすするとうつる」、「暴食すると死ぬ」……こうした言いぐさが上海の一般庶民の間に流布された。長い間、高貴でお高く留まっていた上海人は、慚愧（ざんき）に堪えず、頭を下げていた。それまでは、よその人間を「不潔」と称していたが、今回は自分たちが徹底的に「不潔」であり、しかもほとんどが死神に抱きかかえられている。

しかし、このときの特大の感染症は突然発生し、感染は非常に迅速で、その範囲は広範だったが、当時の党上海市委員会、市政府の行動は今から見れば満点だった。彼らは、矢継ぎ早に、次の「三つの有力な手」を打った。

**第一、360度全方位無死角洗脳式衛生宣伝**

当時、上海にもインターネットはなかったので、彼らは毎日『新民晩報』、『文匯報』などの新聞に最新の感染症情報を掲載し、上海のテレビ局とラジオ局が連日十数時間感染症の科学普及、防止措置について放送し、また街道委員会、住民委員会が一軒一軒、宣伝ビラを配り、住民にローリング調査を行い、A型肝炎の症状の有無を調べた。

1988年1月18日の紙面を見ると、第1、第2症例の状況について、どんな人がどんなことによって発病したか、併せてアカガイを食べたことが原因の可能性があることを指摘している。こうした報道が『新民晩報』に手のひら大の見出しで「大ニュース」として流された。ほぼ全世帯が同紙を購読しており、上海市民は数時間以内に「アカガイを食うと命を失う」という危険に目覚めていた。「早くは箸（はし）を離せ！」おそらくこの日だけで、アカガイ愛好者の半数以上の市民が実際に食べるのをやめたようだ。その後も順次、感染状況を報じ、日に日に深刻化する感染患者

数の増加は全上海市民の神経を逆撫でした。

　当時の市上層部の耳に届いたのは次のような言い回しだった。それは「人人皆知、全民皆兵」だった。

## 第二、感染源に対する直接、果断な措置

　上海市政府は全市内でアカガイの売買を厳禁した。発覚した場合はただちに厳罰。市政府は併せて大量のアカガイを没収し、廃棄し、しかも、各住民委員会に路地裏の隅々まで相互監視を行うよう通達した。売ったアカガイが病原ではないか？　だから仕入先を分断する。売った人間は厳罰だ。食べていないというなら、明日、職場か住民委員会から証明書を出してもらえ！　アカガイ厳禁の規定に協力を拒否するのならば、派出所に連行して説明してもらう。それでも言うことを聞かなければ、「ブタ箱の中でじっくり反省してもらう」。こっそり売買するやつがいる？　よし、捕まえて厳罰だ。へそが痛くなってもやめないぞ！

## 第三、全市民を「戦疫」に動員

　1988年の上海では、感染症患者を収容できる病床は2800床しかなく、全病院の病床総数でも5500床だった。感染拡大がピークに達した時、半月足らずで病床が足りなくなった。どうするか？　市委書記は次のように指示した。

　　　代価を惜しまず、すべての肝炎患者を収容、治療し、感染を
　　食い止めなければならない。そこで、工場、メーカーは積極的
　　に、倉庫、ホール、宿舎などを臨時隔離病室に改築し、自社の
　　Ａ型肝炎患者を収容した。また、一部のホテル、旅館も臨時の
　　隔離病室として徴用された。さらに、各区の学校、新設マンシ

ョンも患者収容に回された……。

　さらに足りなくなったとき、市民が自宅にあった折り畳み式のパイプベッドを病院に次々に運び込んできて寄贈した。一時期、全市に1万2541カ所の隔離ポイントが増設され、病床は11万8000床に達し、この他に3万床近い家庭用ベッドが控え、出番を待っていた。
　このように空前の上海大感染症流行は次第に制圧され始めた！
　旧上海であろうと新上海であろうと、この時の苦痛に満ちた感染症と失われた血の代価は、上海人に次のような一つの道理を理解させた。
　清潔を極めることが必須であり、それを些細な日常生活の習慣から始めることが必須である。一旦、感染性の疾病や感染症が発生したら、市民の自覚的な行動を動員、組織し、党の指揮に従い、すべての資源を動員し、全力を挙げて医療に当たるなどである。上海人は個々のウイルス、毎回の感染症流行をいかに制圧し、それ相応の本領、経験、方法、さらなる心理的な受け入れ能力などを徐々に模索し、理解してきた。
　上海人は、さらに好ましい高度のレベルへと生まれ変わった。
　2003年のSARS来襲で広東と北京がおよそ「陥落」した後、上海は強烈な抵抗力を発揮し、四方から狙撃し、最終的に最小の犠牲を代価に、1000万人余りの大都会を守り、大上海の尊厳を堅持した。
「素晴らしい！」かつて上海市上層部にいた江沢民は、北京で親指を立てて、彼の「わいらの上海」を称賛した。
　1988年から2020年へ、あっという間に32年が過ぎ去った。
　この32年間に上海にどんな変化が起きたか？　上海の変化を上海人自らの言い方を借りたら、地面が大空にくっ付いて、宙返り！　われらの

上海こそが「大上海」だ。

　もともとそうじゃなかったのか？　外部の人間は心の中で思う。上海は100年以上前から「大上海」だった！　30年余り以前と比べると、上海市区の面積は数倍になった。マンションは数十倍、数百倍。超高層ビルの高さは数倍、数十倍。当然、富も数十倍、数百倍に。

　100年余り前、上海は「東方のパリ」だった。100年余り後の今の上海は、世界中のいかなる有名都市とは比べものにならない。上海は上海であり、中国第一の大都会であり、世界屈指の偉大な都市である。

　外来の出稼ぎ労働者やビジネス人口を加えると、上海の人口は2400万余りの超大型都市だ。新中国が成立して数十年、上海の地域国内総生産（GDP）は全中国の6分の1を占め、今も悪くなっていない。しかも上海の中国に対する貢献は単に経済の数字にとどまらず、中国の現代化の主要な基地であり、基礎である。さらに他都市が代替できない偉大な点は、ここがかつて中国人民を指導して新中国を樹立し、十数億の人口を率いて30余年の間に世界第二の経済大国にした中国共産党の生誕の地だということだ。

上海は「陥落」せず！

「上海『陥落』はあり得ない。絶対にあり得ないよ」——これは上海人が心に秘めている自信であり、全国民も心の中でそう思っていた。

　内外の専門家の最終的なシミュレーションによると、北京、広州、上海が今回の新型コロナウイルス感染症の第二次爆発地になる可能性は極めて高い。広東、北京はSARS襲撃を経験したので、住民の防疫意識、感染症に対する「実践経験」が上海に比べて豊富である。

　一方、上海と武漢は中国の中部地区に位置し、1932年のコレラ流行は上海から始まり、武漢が第二次爆発地であり、この二つの都市は「中国の腰部にある特殊な関係を持つ二つの腎臓」である。この意味は、一つの腎臓に問題が起きると、あっという間にもう一つの腎臓もつられて影響を受けるということだ。

　本当か？

　誰も答えられない。この時点で、みんなの目は武漢に注がれ、感染拡大は人心を脅かし、どうなるのか不安だった。

　私を含む全中国人が、武漢の感染症が報じられて以来、片時もスマホから目を離さず、一日5時間も見つめていたかもしれない。周りのホテルの従業員も顧客からの問い合わせに対応する際にたまに頭をもたげる以外、ほとんどがスマホを見つめながら仕事をしていた。

　確かに、スマホから得られる情報は豊富で生き生きしている。絶えず繰り出されてくるさまざまなネット叩きの他、各地の「ハードコア」放送局が、今日はこのデマを非難したり、翌日はその防止対策を否定したりしていた。おそらくネット時代になって以来、全中国のネットユーザーがインターネットに一番時間と心を費やした時期は、まさにこの庚子春節前後の寒冷な冬だった。

どうして関心を持たないわけにはいかないか？　みんな同じ母親に育てられてきた肉親だからだ。しかも、改革開放の後、みんなの財布や銀行に「貯蓄」があり、いい日はやっと数日、数年だというのに、閻魔様はわれわれを連れ去ろうというのか？　誰がそんなことに甘んじていられようか！

　心から甘んじている人はいない。「最後の日」を座して待つ人もいない。それで、みんなが狂ったようになった―ネットの世界では「知識人」もおかしくなった。彼らは「知識」を持ち、話すことが上手いので、話して人を信用させ、翌日あるいは3分後にまた言い方を変えて発信する。かりに間違いだと気付くと、ニヤニヤ笑って「これはフェイクだ」という。聞き手が迷っているとき、彼は「クリック数」を数えて、大笑いしている。

　これが感染症の拡大の中で、起きている現実だ。大騒ぎし、滑稽も深刻も極まるし、真偽のほどはまるで分からない。詰まるところ、歴史は二つとない、今回の感染症がもたらした騒乱に追い付くほどの事態が未来にまたあるかどうか分からない。

　話は戻るが、今日のように一人ひとりが天下の大事をこもごも論じられる時代に、かりに突然インターネットが遮断されスマホの情報やデータがなくなっとしたら、この感染症が14億の中国人を春節の間どれほどおかしくしてしまったか、想像もつかない。じっと家に閉じこもっていたか？　あり得ない。一両日あるいは一週間のあいだ家から出られなかったら、おそらく半数の人は気が狂ってしまうだろう。それがさらに8日も10日も家から出してもらえなければ、たとえ家の玄関や庭の塀を石でふさがれたとしても、爆薬を使ってでも穴を開けて「牢獄」から逃

げ出すことだろう。

　しかし、今回の感染症はややこしい。空を飛べたり、5Gを創造して使ったりする人類なのに、なんと目に見えない肺炎ウイルスを制御するどころか、その基本的な感染経路を掴もうとしてもなかなかできない。

「狡猾すぎる！」

「悪知恵に長けているな！」

「現在、一般的にそれはコウモリ起源と言われていますが、これは『新型コロナウイルス』の遺伝子構造はSARS・コロナウイルスと80％の相似性があることから出された推論です。しかし、真の天然宿主については、今のところ誰も定論を持っていません。」と武漢大学医学ウイルス研究所の楊占秋教授が語り、次のように続けた。

「潜伏期間が長く、一般的には14日以内に発症しますが、最長24日の例もあり得ます。」

　武漢同仁病院の医師は「一人の臨床患者に処置をした後、現場にいた医師9人が感染しました！　この毒性はすさまじいですよ！」と述懐した。

　今日は2020年2月27日。1月から数えて、私がこの本を書いてきてから、今日までにすでに2カ月になったが、この狡猾な新型コロナウイルスに対して、われわれは依然として手をこまねいていて無策だ。その感染、拡大が神出鬼没だからだ。

　例えば、昨日、寧夏回族自治区政府が空港検疫での感染確認事例1例を公表したが、その感染経路は不思議だった。

◉2月26日　寧夏中衛市の新型コロナウイルス拡大防止活動指揮部が発表した声明によると、同市で発見された外来の患者の濃厚接触者の緊急追跡が行われた。患者の主な行動軌跡は以下のとおり。

●2月19日13：30（**イラン時間**）　イラン空港からSU513便（座席番号16B）に搭乗、17：00前後（モスクワ時間）にモスクワ空港着。その間、N95マスクを着用。モスクワ空港付近のカプセルホテルに16時間滞在。

●2月20日9：00前後（**モスクワ時間**）　モスクワ空港からSU206便（座席番号35A）に搭乗、23：05（北京時間）　上海浦東国際空港着。空港からタクシーに乗り、和頤至格酒店至格酒店（Yitel Hotel）にチェックイン（3078号室）。

●2月21日16：00前後　エレベーターで階下に行き、発送する荷物を宅配便の配達員に渡した後、部屋に戻った。この間、患者も配達員も使い捨てマスクを着用。

●2月22日9：00　タクシー配車アプリ「滴滴出行」（ディディチューシン）で予約したハイヤー（滬GY0322）で上海駅へ行き。列車を待つ間、駅構内のスマホカード代理店でカードを作る。

●2月22日18：36　上海駅からZ216列車（13号車08下段）に乗車。

●2月23日17：20　甘粛省蘭州駅着。車中では食事時以外はずっと使い捨てマスクを着用。蘭州駅1号大ホール内のマッサージチェアに座って列車を待った。

●2月23日20：00　蘭州駅からK9664列車に乗車（予約は1号車4番だったが、実際にはドア寄りの第3列の6人掛けの椅子に座った）。

●2月24日1：19　中衛着。全行程使い捨てマスク着用。

　それまで数日間、新たな新型肺炎患者が発見されず、厳格に死守していた上海に突然緊張が走った。

　この患者が上海に滞在し、それも行った場所がかなり多い。まず浦東空港に着き、タクシーで市内のホテルへ。そこに一昼夜滞在し、またそ

こからハイヤーで上海虹橋駅。午前9時に駅に着き、午後4時までそこ
で蘭州行きの列車を待った。この「招かれざる客」は大上海を東から西
まで、市街地を横断し、その上、特に人が密集する空港、駅、ホテル
に行っている。上海が八つ当たりされた。「濃厚接触者」を偵察、発見
するために何人必要か？ これらの「濃厚接触者」は何人と「濃厚接触」
したのだろうか？

　大上海よ！ 感染症拡大の間に、こうした「緊急事態」に遭遇してい
た。
「これは最小の緊急事態かもしれないよ！ ピーク時に、一日中そのよ
うな緊急事態に何件か遭遇したのはご存知ですか？」と上海市政府機関
の友人が私に尋ねた。「少なくても数十件、多い場合は百件以上でした
よ。」

　うわ、そうなら、防疫の都市防衛戦、狙撃戦は実にあたかもスターリ
ングラード 攻防戦のようだが、われわれが遭遇していたのは、ヒトラ
ーの軍隊ではなく、見ることも触ることもできないウイルスなのだ！
「憎らしいなぁ！ ファシスト侵略軍以上だ！」とある専門家が言って
いたが、むべなるかなである。

北京SARSで絶望を経験

1月23日の夕食前、ホテルに閉じこもっていた私は、ふと外出したくなった。緊張する外部取材が数日続いていた。受け入れ機関の食堂が用意してくれる賄い飯は美味しかったが、血糖値が高い私には実は苦痛だった。美味いものも食べられないし、食べられるものもわざわざ作ってもらったりはしない。そんな苦痛は他の人には全く分からないだろうが、中には私が彼らの用意してくれた食事や対応に不満があると思われてしまうこともある。誤解を招きやすい。

　その晩、気分転換にホテルを出て、近くのショッピングモールにあるにぎやかな西洋レストランでローストビーフを食べた。小雨が降っていた。そのレストランには以前何度か行ったことがあって印象がよかった。お客さんはほとんどいなかった。だだっ広い店内には私を含めて3人。私が座ると、二つ離れたテーブルにお洒落な女性が座った。垢抜けした感じの女性だった。われわれの目線が絡んだとき、私は突然、数回咳をした。普段から、ちょっとした冷気を吸い込むと、咳が出て、鼻水が続くこともあり、医者は鼻炎だと言っていた。ところが、この時の咳は「危険」と感じられたようだ。

　その女性がすぐに立ち上がって、遠くのテーブルに移動するのが目に入った。彼女は私を見つめていたが、その目線は柔和だった。もしそうでなければ、私は危うく「どういう意味だ?」と一声掛けるところだった。

　そうか! 私は突然、彼女の行動の「深刻さ」と「おかしさ」に思い当たった。そうなのだ! 上海はすでに新型コロナウイルスに敏感になっているのだ。私はSARS流行当時の北京を思い出した。公共の場所で誰かが咳をすると、それがバスの中だと、みんなが遠くへ離れようとした。中には怒りを込めて、あるいは疑い深い目で咳をした人を睨んだ人

もいる。お前はまさかSARSにかかったのか？ 何であちらこちらを動き回るのだ？

　大っぴらにののしるケースも掃いて捨てるほどあった。ただ、多くの場合は、咳をした人を疫病神のように見て、なるべく遠ざかったものだ。私は当時の経験を思い出し、笑いがこみあげてきた。レストランを出るとき、彼女が私をじっと見つめているのに気付いた。それは情愛のこもったまなざしではなく、警戒心に満ちた視線だった。そこで彼女に笑い掛け、「すみません」と言った。

「謝ってほしいなんて思ってないわ。自分で用心しなさいよ！」――ホテルに戻りながら、私はあの上海娘が心の中でつぶやいた言葉を想像した。

　ずっとニヤニヤしながらホテルに戻った。あのお嬢さんの私を「見つめた目線」と「優雅な別れ」を思い浮かべて、上海に対する好感度はますます高くなったような気がした。

　もし上海以外の土地だったら、きな臭い「戦争」になっていたかもしれない。SARSの頃の記憶だが、私は毎日、取材班を連れて、北京市政府に行き取材対象を待つ間、なぜか知らないが、毎回、順番に体温測定を受けるたびに赤ランプが点灯した。37度以上を示していた。

　当時はSARSによる発熱の概念が今回ほど厳しくなかった。今回ならば、つかまえられるところだろう。面白いのは17年後、上海で測定を受ける際に使用するピストル型の体温計に欠陥があるのか、往々にして表示は34、35度で、いつも低かった。

　SARS流行当時のある日、私がバスに乗って取材先から自分が作った「密閉空間」―自宅の小部屋―に戻った。その途中、ある50歳がらみの男性が数回咳をした。すると一人の30歳くらいの女性がチェッと舌打

ちをして、咳をした男性に怒りをあらわにした。両者の戦いが始まった。さらに二人の戦いは両家族の戦いへと発展。最終的には殴り合いに。咳をした男性の横にいたのはその奥さんで、30歳くらいの女性もそばに夫がいたからだった。乗客全員がとんだとばっちりで、途中でバスを降りるはめになった。

バスを降りるとき、乗客の多くが30歳くらいの女性の肩を持った。咳をした男性は「悪者」だと思われた。「彼が本当はSARSを持っていたらどうするの？ 大変よ！」「そのとおり！ また咳をしたらどうするのよ！」と。

実際はSARSに感染していなくても、特殊な状況下では、みんな信じるために疑おうと思い、油断大敵状態だ。誰一人も軽々しくその男性の側に立たなかった。当時、私は、その男性がきっと私と同じように、普段から喫煙などが原因で空咳が出やすくなっているのだろうと思っていた。しかし、そのとき私も大勢を前にして彼のために安易に「いけない」と止めるわけにはいかなかった。感染症が流行している時は、誰しも防衛心理が強く働くものだ。

どんな感染症でも真相が最も重要だ。それは感染症に直面しているすべての人の心の準備や実際行動の準備を促すのだ。わけがわからないうちに感染し、あっという間に死んでしまうのは嫌だからだ。これこそ一番恐ろしい。

SARS流行時に私が経験したことは、一般の人よりもかなり多かったと思う。『北京防衛戦』に書いた私自身が取材したエピソードを紹介しよう。

　「ママ、なぜこんなに早く死んでしまったの？」──2003年4
　月初めのある日の早朝、秦さんは武警総隊病院から彼女の母

親がSARSに感染し、すでに亡くなったという連絡を受けたとき、その場に泣き崩れた。糖尿病だった母親があっという間にSARS患者になり、しかもこれほど早く死ぬとは思いも寄らなかった。

　当時、SARS患者の家族は、肉親がなぜ突然、死去したのかよく分からなかった。秦さんは気持ちの整理が付かなかった。加えて、それまで彼女は病床の母親に付き添っていたので、非常に疲れていた。母が亡くなり、彼女は虚脱感に襲われ、食事ものどを通らなかった。三日目になって、咳が出て発熱もあったが、そのときは疲れていて、薬を飲みさえすれば治せるだろうと思っていた。

　4月5日、人民病院で診察を受けた。SARSのような症状が出ていた。
「当時、東直門病院などにすでにSARS患者が出ているとは聞いていましたが、SARSがどんな病気なのか、実際の話、われわれもはっきりしたことは分からず、さらにどんな治療が必要なのか皆目分かりませんでした。秦さんを診察した後、とりあえず、観察室で様子を見ることにしました。当時、観察室は特に隔離されていませんでしたから、われわれ人民病院はSARSの悪性クラスターになってしまいましたよ」と病院スタッフの一人が後に語っていた。真に悪性だった！
　人民病院は北京で有名な3級A等病院で、85年の歴史を擁し、毎年同病院で診察、入院する患者はのべ100万人に上る。さら

に多くの市民の診察に便利なように、設計段階から無駄な空間を省き、便利や迅速を原則とし、検査、診療、受付などの窓口をすべて可能な限り統合した。知らないうちに、SARSはサブマシンガンを構えた殺人犯のように、人々が密集しているこの病院に侵入した。

秦さんの観察期間中に同じ部屋に十数人の患者がいて、彼らはSARS感染を免れなかった。その中の一人は心筋梗塞の患者で心臓内科に移動し、その一人を通じて11人の内科医に感染した。内科医はその患者がSARS重症患者の秦さんと「濃厚接触」したか否かなど知る由もなかった。さらに完全に無防備な状況下で、彼の同僚、家族に遷し続けた。

4月17日、29人の患者を他の医療機関に転院させた後、人民病院は同夜、救急ホールの天窓を閉鎖し、観察中の患者の専用医院として使おうとした。ところが、逆にただでさえ換気の悪い救急環境をさらに悪化させ、救急薬局、救急検査、救急受付、および近くの診察室らはともに空気の流れが悪くなって、SARSの強力な交差感染空間を形成してしまった。

人民病院はついに泣いた。悲しく泣いた。一人また一人、一団また一団と倒れても、なすすべがなかった。病院は上から下へ、内から外へ全面的にパニック状態に陥った。診察を受けに来ていたり、すでに入院していたりしていた患者はSARS蔓延の話を聞くと、逃げ出せる人は逃げ出し、逃げ出せない人は病院から遠ざかる方法をこもごも考えた。病院で長らくやってきた清掃員や看護助手は、この月数百元の不安定な仕事を投げ出

し、あいさつもなしでいなくなって、SARSの病室の清掃や後片付けは医師や看護師がしなければならなくなり、なおさら医師、看護師のSARS感染に拍車を掛けることになった。

　人民病院はこの打撃に耐えかねて、4月19日、20日、21日と、3回にわたって上層部に対して、救急、外来部門の停止を要請した。中国CDCは首席専門家の曽光を実情調査に派遣した。「情況は報告どおりであり、ただちに全外来と救急の閉鎖を進言する。」曽光は災難が深刻化する人民病院に転機をもたらした。

　4月24日、病院全体が市政府によって隔離の宣言を受けた。5月初め、人民病院は市、区両レベルのCDCに以下のように報告した。SARSの患者は200人余り、そのうち同院の医療従事者は89人、最年少は20歳、最高齢は63歳で、その中には相当数の病院中堅幹部、専門家が含まれる。

　これと同時に、人民病院関連で感染したSARS患者が北京の他の病院で次々に診察を受けていることが明らかになり、先ず中央財経大学でSARSが感染爆発し、続いて、北方交通大学、北京大学、清華大学、北医三院（北京大学第3病院）などでも立て続けに感染症が出現した。

　北京はパニックになった。

　学生は群れをなして大学を離れ、農民工は列車に殺到し、逃げ出し、カネのある人々はマイカーで、飛行機に乗ってあわただしく北京を去り、普通の北京市民は食品マーケットに押し掛け、コメ、面類、油、塩、酢を買いあさった。

　各官庁の入り口は相次いで閉鎖され始め、コミュニティも

次々に閉鎖、街路から歩行者や車が消えた。市民は家の中に閉じこもり、恐怖に満ちた両眼を見開いて、暗黒の雲が垂れこめた混乱した世界を凝視していた。

　ある日のこと、バスに子供を抱いて乗っていた女性が数回咳をした。すると、乗客全員が大声で運転手にバスを停めるように叫び、先を争って飛び降り、行き先が近い人はいっそ歩いて行き、遠いのはこもごも手を挙げて、「ヘイ、タクシー！」と叫んだ。

「あのバスで何が起きた？」タクシードライバーが聞いた。

「ひどい咳をした客がいた！」とバスの乗客が答えると、ドライバーは顔面蒼白になり、あわてて「この車はガス欠だ。給油に行かなけりゃならねぇ」と断り、すばやく走り去った。

　乗客は「おいおい、俺はSARSじゃないぞ、停まれ！」と叫びながらタクシーを追い掛けた。

　そのタクシードライバーは自宅の近くに回り、車ごと自分が住んでいるコミュニティの中庭に入ろうとした。

　ところが、「入れないよ！　あんた方タクシーは一日中、外で客を拾っているんだろう。SARS患者を何人乗せたかわかったものじゃない。あんたの家族の安全と全町内の安全のために、あんたを入れるわけにはいかんね！」─数人の老夫人が鉄格子の門をしっかり締めて、ドライバーが何と言おうと、頑として入れなかった。

　ドライバーは地団太を踏んで、「俺が何をしたってんだ。あんたたちは俺を家に帰らせないというのか？　もしうちにSARS

患者がいたら誰が面倒をみるんだ？」

「えっ、あんたんちにSARSがいるのかい？」老夫人連はこれを聞くと、クモの子を散らすように消え失せた。

　ドライバーは涙を拭いて、自宅のアパートのドアを数回ノックした。もの音がしない。もう一度ノックして、「ただいま、俺だ。何でドアを開けないんだ？」と。

　中から女性の声が応え、「帰って来たのは分かっているわよ！でも家には入れられないわ。子供があんたからうつったらどうするのさ。」

「何でおれがSARSに感染したと思うんだ？」ドライバーははっとした。

　中の女性は少しも躊躇せず、「あんたが感染していない何てどうしてわかるのよ。一日中、外で客を拾って……」と言った。

　ドライバーは口ごもって、「それじゃ外で寝ろっていうのか？」

　すると、突然、ドアがちょっと開いて、その隙間から布団が放り出され、すぐさまドアは閉まった。「あんたは今晩、とりあえず外で寝てよ。大人のことより、子供のためでしょう。」

　そうだ、そのとおりだ。子供は何にもまして大切だ。そう考えて、彼は布団を丸めて、通路に縮こまって寝た。疲れきっていた。何といっても先ず眠ることだった。

「あんた、こんなところで寝られちゃ困るな！　うちの玄関に近いところはだめだ！」突然向かいのうちから大声は聞こえた。

　これは思ってもいないことだった。タクシードライバーは怒った。「お前ら、俺がSARSだと言うのか？」

「あんたがSARSでないなら、何であんたの家族はあんたを家に入れないんだ？」

「それは……」言い返えす言葉もなく、彼は布団を丸めて階段を降りた。

再びタクシーに戻り、意を決したように、「ちくしょう！　また客を拾って稼ぐか……！」

エンジンが掛かると、車はスピードを上げた。道路を走ったら、人も車も少なく、西から東に向かってすれ違った車はわずか数台だった。

「こんな大都市で人も車も見掛けないという光景は想像もできませんでした。一言で言えば、実に地獄に足を踏み入れることより恐ろしかったですね」と、1カ月後、このタクシードライバーは「今でも思い出しただけで胸がドキドキする」と話していた。

実はその日、私の家族全員がこのタクシーに乗ったのだ。

私、娘、家人は完全武装していた。マスクを二重にし、分厚い眼鏡を掛け、着ぶくれれするほど何枚も着ていた。

タクシードライバーは降りてきて、われわれのためにドアを開けてくれた。彼の普通以上の動作に私は感動したが、彼が言ってくれた言葉はなおさら思いがけなかった。「みなさん、ありがとうございます。みなさんのおかげで、運が向いてきたかもしれません」と彼が言った。

「北京はどうなっちまったんでしょう。だんな、SARSは何なんですか？　街には人っ子一人いない……」と言って、とうと

う泣き出してしまった。いかにも切なさそうに……。

　実はね、私は心の中でつぶやいた。われわれ家族はもっと苦しい体験を味わったなぁ。口まで出かかったが言わなかった。われわれ一家はやっと「地獄」から脱出したところだったことを。もっと恐ろしかったことを。

　タクシードライバーは目的地まで送ってくれた後で三度「ありがとうございました」と繰り返した。

　赤のタクシーが走り去ると、長々と続く街路に死んだような静寂が戻ってきた。

　家に帰ると、疲労困憊の娘はすぐ眠りにつき、家人はわれわれが脱いだばかりのすべての衣類に―上着も下着も―窓際において強力な消毒液をスプレーした。私は込み上げるような感情を抑えがたく、窓際にたたずみ、SARSに制御され、痛め付けられている北京の夜景を見つめていた。

　そのとき、自分が涙を流していることに気が付いた。

　そのとき、二十数年前に私の所属部隊が参加した流血の戦闘が突然連想された。

　なぜSARSのほうが参戦当時よりも恐ろしいと感じるのだろう？そう、敵を殺すか敵に殺されるかの戦場では、たとえ死んだとしても自分一人であり、死ぬのは光栄でもあった。ところがSARSは、見えない上に、自分の命は自分だけのものではなく、自分の家族のものであり、周囲の環境の一部であり、この街のものであり、見えないし触れない空気の一部なのかもしれないのだ。

　10時間前、私が住む北京の住民はみんな勤務先や街頭から

自宅に逃げ帰り、自宅のドアや窓をしっかり締め、家のために
戦い、消毒で反撃し、感染症ウイルスに立ち向かっていた時、
通っていた高校が臨時休校になり、帰宅して受験勉強をしてい
た娘が、激しい咳をし始め、胸が苦しいと訴え始めた。私と家
人はあわてて、彼女を参考書の山の中からベッドに移した。体
温を測ってみると……37.5度！ 最初の検温にわれわれ夫婦は
びっくりした。

　家人はあわてて薬を探し、私は大急ぎでパソコンを開き、ネ
ットでSARSの特徴を検索した。それによると、体温38度以上、
咳を伴い、胸部X線で陰影が……。

　薬を飲ませ、検温を続けた。30分に一度。

　午後4時半以降、娘の体温は一気に38度まで上がり、しかも
そのまま下がらなかった。「苦しいよ！ パパ。苦しいよ！」と
いううめき声と泣き声に私は心がかき乱された。まるで鍋で焙
られるアリのようにうろたえていた。

　家人は娘の枕元で看病し、私はネットでSARS情報の収集
に努め、SARSホットラインに電話しようかどうか考えていた。
家に38度の発熱患者がいることを「暴露」したら、当時の状
況では必ずSARS患者と見られてしまったはずだから、「120」
の救急番号の救急車が玄関先までやって来るのを断るだろう。

　私はそう簡単に娘をSARSに渡したくはなかった。

　わが家の誰一人もそうやすやすとSARSに渡すものか。

　そうなのか、そうではないのか？ そうだったらどうすべきか？
もしそうでないなら、でも誰が保証してくれる？ 病院に連れ

て行くべきか？　連れていくべきではないのか？　もし病院に連れて行ったら、結局SARSでないものの、逆に感染の死地に入ることになるのでは？　しかし、もしSARSだったら、手遅れになるのではないか？

　私と家人は娘の検温をするたびに、隣の部屋でああでもないこうでもないと繰り返していた。

　私は自分自身が崩壊するように感じた。心の準備はできていた。もし娘がSARSに感染していて、救急車で連れて行かれる時、私は迷わず一緒に乗り、彼女と一緒に病室に入り、1分1秒、共に戦う。その時、私は何もいらない、自分の命より大切の娘以外は何もいらないと感じていた。

　娘は泣き叫んでいた。私は娘の枕元で見守ることしかできなかった。焦っているから父親としての感情を抑えられなくなり、何事もないような表情で家を出て、エレベーターに乗りマンションの外に出た。周囲に誰もいないことを確かめてから、地面にひざまずき、首が痛くなるほど天を仰ぎ、目を閉じて、合掌して、黙々と祈祷した。神様！　娘の平安、無事をお願いします！

　私は生まれて初めて、天に助けを求めた。

　娘の高熱は続き、家人の薬も効果はなかった。選択を迫られていた。病院に行くことが唯一の選択肢だった。しかも、病院は当時最もSARS感染の危険度が高い場所だった。

　それでも行かざるを得なかった。自らSARSを取り除くことができない以上、選択できるのは最も危険な場所に行くしか道はなかった。まるで死の陣地で一本の藁にすがるに等しかった

が……。

　午後11時前後、われわれ家族3人は完全武装して家を出た。マスクは二重、できるだけたくさん着こんだ。タクシーを拾うのも容易ではなかった。その上、運転手に行く先が病院とは言いづらかった。

　病院から100メートルほど手前で車を停めた。北京大学病院に入り、発熱外来の医師はまだ入れられないと言った。「すぐ消毒して、1時間待ってください。」

　家人が私に「ここより一般の救急外来で診てもらったほうがいいかもしれないわ。発熱外来だとSARSに接触して、SARSでなくてもSARSに感染するかもしれないわよ」と、耳打ちした。

　さもありなん。そこでわれわれは娘を1階の一般救急外来に連れて行った。しかし、診察待合室に入ると、私の心が締め付けられた。だめだ！

　目に入った患者が全員、SARSに感染しているように見えた。ある人は支えられ、ある人は椅子の上で横になり、「ウン、ウン……」とうなっている。

　医師は完全武装で、私は防護服というものを初めてみた。彼らが着用していたのは頭からかぶる様式の防護服で、電気溶接工が着ているようなものだった。医師は患者を診察するたびに診察室内に消毒剤をスプレーしていたが、10平方メートルほどの診察室には列を作って待っている患者で込み合っていた。これでも感染しなければ、神様のご恩だと思った。私たちはすでに自らSARS感染候補の列に並んでしまった。

30分ほど並んだ後、医師が娘を隣室に案内し、胸部のレントゲン写真を撮った。20分後、フィルムが出来上がった。「大丈夫ですね。胸部はきれいです」と言ってフィルムを渡してくれた。

　われわれ一家は、期せずして胸をたたき、胸の内で「神様！」と叫んだ。

　続いて血液検査。私は娘と家人を病院の外で待たせ、私一人が検査室で結果を待った。1分また1分、時間が流れている―待ち遠しかった。この血液検査の結果はSARS非感染の主要な証拠になるからだ。

　25分後、検査結果の紙を渡された。急いで家人に見せた。「大丈夫だったわ」と、医師だった家人は、自信を取り戻したように明言した。

　心配が一つなくなった。私の―わが家全員の気持ちが落ち着いた。

　帰り道のタクシードライバーは、たまたま来た時に乗ったタクシーの運転手と同じだった。

　翌朝未明、娘の熱が下がった。そしてわれわれの生活に変化が現れた。

　朝、起床すると先ず家中の窓を開け、すべての部屋に消毒液をスプレーした。特にドアノブは繰り返し消毒した。さらに隣家と接する玄関先は念入りに大量の消毒液をまいた。食事時は家族が手洗いを相互監視し、外出する時はマスクをチェックしたが、外出する必要がなければ、なるべく外出しなかった。

出勤はバスには乗らず、タクシーも使わなかった—職場では
すでにそのように規定していた。興味深かったのは、娘の普段
の態度がころっと変わったことだ。出勤する必要がある私に特
に関心を払い始めたことだ。帰宅して一歩玄関に入ると、先ず
私を立たせたまま靴を脱がせ、次に上着を脱がせて、ベランダ
に置いた。それから私を監督して、玄関に置いてある消毒液で
手を洗わせ、さらに部屋に入るとここでもう一度手を洗った。
その後、後ろから彼女のママが用意した消毒液を私の体や頭に
吹き付けた。

　私はと言えば、彼女にされるままに従っていた。こうしたラ
イフスタイルが、北京では1年半近く続き、これが当たり前に
なった。わが家が他の家よりも緊張していたのは、全員で病院
へ行ったことがあるからだった。当時、SARS感染者は他人の
目には「疫病神」に見え、さらに発熱した人はほとんどSARS
患者と見なされ、誰かが病院へ行っただけで、死神に取りつか
れたようなものだった。一般大衆がこのように感じたのは彼ら
のせいではなく、実際、80％以上のSARS患者は病院で感染し
たからだった。

　後で知ったことだが、われわれ一家が北京大学病院で診察を
受けたあの日、SARS患者の受診者が最多だった。「24日、人民
病院が隔離された後、北京西城区（市内西側）のSARS患者と
発熱疑似患者はすべて北京大学病院に詰め掛けていました。専
門病院はベッドが足りず、SARSと診断された患者と経過観察
が必要な疑似患者を送り出すこともできず、診察室の廊下にま

で横になって待つ患者がいました。あの数日は毎日そんな状況でした」と、西城CDCの張震課長が後に私の取材に答えた。

　数日後、わが家が危機を脱した。ようやくわが家から外の世界に目を向ける余裕ができてきた。

　この時、北京市にも大きな変化が起きていた。

「国難に遭っている」―これが官民のあいさつ言葉になっていた。

　当時の北京市内には重い空気が立ち込め、人々の顔には笑みの欠片もなく、相手の表情はうかがえなかった。マスクは一切の苦痛をその中に、心の中に包み隠していた。

　1本のショートメッセージが1日も経たないうちに全市に広がった。

「○○時に街が封鎖される。」

「○○日の夜間に飛行機で薬を散布するので、自宅のドア、窓を閉めてください。」

　デマと情報がこのようにあっという間に広まった。」胡散臭いメッセージは信じなかったが、人々は「信じればある、信じなければない」という態度だった。

　マイカー族は郊外に行きたかったが、彼らはしばしば農民に追い返された。「お前らに言っておくぞ。ここを通らなければ、わしらの村には入れないぞ。」農民は自分たちの故郷を守るために警戒を強めた。村民の中には菜切り包丁を手に、村の入り口の道路の真ん中に列を作っていた。テレビで報じられたある村では、全村の四方の出入り口に鉄条網とレンガ塀を作り、村から外部に向かう高速道路は遮断した。道路中央に掘られた穴

は2両の戦車を埋められるほどもあった。

　これらはすべて当時の私の現場取材記録だ。ここからも北京人のSARSに対する恐怖心を読み取れるだろう。実際、これはある程度いいことだったとも言える。

　本当に恐ろしいのは、たいしたことではないと思っていた人々だ。武漢の感染症があらゆるものを痛めつけ、全国各地に氾濫し、市場ではマスクや食料品を買いあさる現象が起きたとき、一部西側国はわれわれを嘲笑した。しかし、その後、イタリアで感染症が拡大し、スーパーの棚から商品が消え失せたとき、われわれが経験した以上に深刻な事態になり、イタリア人が「第二次世界大戦でもこんな騒ぎは見なかった」と恐怖に満ちた表情で言ったほどだった。実際、ある意味で「国難の感染症」を拡大させるのは「たいしたことではない」かもしれない。彼らは普段から人のアドバイスに「たいしたことではない」と軽視し、感染症が襲って来たときもそうだった。

　怒りを感じさせるのは、一部の人々が自分の日常生活も「たいしたことではない」と言って改めず、中には暴飲暴食し、新鮮な刺激追求が「流行」だと思っている人々が社会に対して害をもたらしている。同年、ハクビシンを狂ったように食べた人間が空前のSARSを誘発し、今回の武漢の感染拡大は今のところ、海鮮・野生動物市場で販売していたコウモリが関係していたとする説がある。

　全人代常委はついに会議を開き、野生動物の食用利用を禁止する法規のさらなる厳格化を正式に決定した。これは全国民の野生動物保護に対する覚醒だった。泥縄的ではあったが、進歩には違いなかった。

上海戦「疫」の現場

さて、ここで再び時間を１月23日夜に戻そう。私が咳をしたので上海娘に「やんわり」一太刀浴びせられ、ホテルに戻ったあの晩のことだ。

　当時、私は何を見ていたか？　先ずは武漢の感染症の拡大程度とネット上にあふれている各種情報をチェックした。次に注意したのは私が滞在している上海のことだった。もし、上海は問題がなければ、私も、私たちも全く問題がないと思った。

　私が泊まっていたその外資系ホテルで、その背の高い外国人のマネジャーは依然として私に会うと会釈をしたり、背筋をまっすぐ伸ばして自分の任務を果たしたりしていた。決まった時間にホテルの上から下までチェックしていた。ホテルの泊り客はすでに普段の半分に減り、静まり返っていた。

　まるで家に帰らなくてここにいる人々は頼りになる人がないか、あるいは何かおかしいところがあるかようだった。なぜなら、この時点、上海籍の人であれば、帰宅して年越しをするはずだったからだ。ホテルに泊まっているわけがない。たとえ外来の人ならば、少なくとも帰宅途中だっただろう。

　私は孤独感が心の中にじわっと広がるのが感じられた。しかし、そんな感情もすぐ消えた。持ち前のプロ意識が私の気持ちを外に向かわせた。「春節」、「国慶節」、「メーデー」などの休暇期間が私の執筆の「ハイシーズン」だからだ。作家協会に数十年所属していても、私たちは実際に専業作家なんてものではないということを知っている人はあまりいない。普段、私たちも自分の本職に努めて、数百人の従業員の生活万端にかかわる忙しさにかまけている。故に、作品を仕上げるには休暇を利用するしかない。私の主な作品はほとんどすべてそうした環境で完成したものだ。

多くの文化に「飢えた人」はわれわれを生まれつきの「満腹家」だと思っているようだが、現実はそうではない。各人の生活と仕事の環境は一様ではなく、成果が上げられるか否かの鍵は自らの選択した方向と努力次第なのだ。

　2020年の春節、私は意外なことに上海に足止めされ、わが祖先が汗水を流し、夢想した大地の感性を「頭からしっぽまで」、「内から外へ」体験する機会を与えられた。併せて、私の命の中で忘れられない歳月に潤いを与えてくれた。

　実際、私は現地ニュースと友人からの情報で以下のような情報を得ていた。1月23日の上海では、各病院がすでに厳戒態勢を敷き始めていた。例えば、有名な瑞金病院の救急ホール内に患者の姿は多くはなかった。入って右手に予診カウンターが新設され、そこに立っている予診医が好意的に目を光らせ、「国境警備隊」のように入って来る人を遮り、「どこから来ましたか？　武漢の人と接触した経歴はありますか？　旅行できましたか？　熱はありますか？」と聞いていた。

　入口を入って最初の関門は移動式空気殺菌ステーションだ。「昔の空気清浄機よりも消毒効果があり、診察環境を改善しました」と病院関係者が説明していた。

「以前は救急予診検査カウンターで仕事をしていました」と若い女性予診医が言っていた。

「新型コロナウイルスが猛威を振るい始めてから、潜在的な患者を救急ホールに入れるのを避け、彼らを発熱救急外来に誘導するために、病院に入ってすぐの場所に第一関門を設けた。」

　さらに中に入ると、マスク、隔離服、防護ゴーグルなどの装備が目に

入る。「新型コロナウイルスが拡大して以来、瑞金病院のような大型の三甲（三級A等）病院で、院内感染防止対策のレベルアップがとりわけ重要だった」と救急診察室での病院幹部が説明していた。

　発熱外来には体温測定装置が設置されている。ここが鍵を握る場所であり、感染源と非患者との往来が遮断できるか否かに大きく影響する。救急外来から発熱外来までは徒歩2分。新しい外来診察ビルの隣の平屋の外壁に赤で「発熱救急外来」と書かれた看板が掲げられている。

　患者は中に入れるが、一般人はただちに制止される。「内部は汚染地区ですから、感染を避けるために、距離を置いてください。」ここを守るスタッフは「鉄壁の守り」で、病院関係者でも自由に通行できない。勤務中のスタッフは全員オールインワンの隔離服を着ている。

　これはまさに臨戦態勢だ！　上海の病院は「ハードコア」だ！　このとき、武漢の大多数の病院はまだこれほど態勢が整っていなかった。この差が感染症の拡大を左右した。

　ガラスドア越しに、まるで一軒の設備を完備した「小型病院」のような「発熱患者治療室」が見える。予診カウンター、待合室、受付窓口、診察室、検査科、放射線科……、瑞金病院ではこの時点ですでに感染を避けるために、一人ひとりの患者の診察、治療手順をすべてその空間で済ませる。

「23日から、上海の新型コロナウイルス感染者の重点受け入れ病院のすべてにこのような準備を整えるよう要請しました。ここが感染制圧、防戦の主戦場ですから、いい加減は絶対に許されません」と上海衛健委の責任者が私に語った。

「当時、あなた方は恐ろしくありませんでしたか？　押し寄せる患者に

向き合っていて……」と、私は重症患者の病室を担当している若い女性医師に尋ねた。

　彼女はちょっと微笑んだが、すぐ固い表情に戻り、「恐ろしくはありませんよ。戦場で恐怖心は役に立ちません。しかも、患者が恐ろしがっている様子を見たからこそ、われわれが混乱した感情を表に出してはいけませんね。」

　そうだった。彼女は私に部隊にいた頃のこととSARSの一線で取材していた頃のことを思い出させてくれた。逃亡兵にならない限り、戦場では恐れれば恐れるほど「犠牲」になる可能性が高まる。かつ実際、戦場に逃亡兵は一番不器用なやつだし、逃亡するのもそんなに簡単なことではない。

　1月22日に上海に戻り、黄浦江の河畔で春節を過ごそうと決めた時、私は上海市党委の主要メンバーの一人に知らせておこうと思った。彼は党校の同期であり、連絡しようと思ったのは友情に基づいたからだった。併せて、この事態に私が手伝えることはないか聞いてみたいと思った。その他、やはり多少私心も絡んでいるが、万が一ここで私が不注意で何か「事故」に遭ったら、同期の彼に知らせてくれるだろう！

　しかし、結局のところ、連絡しないことにした。彼は忙しくて収拾が付かないに違いないと思った。そんな時に邪魔をしてはいけない。ましてや、彼ら市党委、市政府のリーダーに、2400万人の中国一の大都会を新型コロナウイルスの禍を何とか乗り越えてほしいと期待していたのだ。

　はたして、私はこの後、ただちに市政府の以下の「内情」を知ることになった。

　私がまだ浙江で取材していた時、上海市党委、市政府は中央の指令と

市内の情況に照らして、立て続けに会議を開き、一足先ずに市長の応勇をトップとする上海市新型コロナウイルス感染症対策チームを結成し、統一指揮、統一行動を取ることにした。チーム結成後、市政府は記者会見を開き、応勇市長が自ら質問に答えた。彼は次のように指摘した。習近平総書記の新型コロナウイルス感染症に関する重要指示の精神と李克強首相の要請をしっかり把握し、市党委、市政府の計画に従って、責任感と緊迫感を持ち、市民に対する責任を果たすために、冷静沈着、迅速な行動、細部にわたる対策を講じ、各方面の持てる力を結集して、防疫メカニズムを構築し、さらに有力な防疫措置を取り、科学的な防疫対策に全力を挙げ、市民の正常な生活秩序を精いっぱい守り、全市民が安定した平和な春節を過ごせるようにする。

　応勇市長は春節大移動を前に、上海が長江デルタで最も重要な交通ハブとして、またスーパー都市として、また全国民の主な旅行目的地であるから、巨大な感染リスクが存在していることを特に強調した。

　したがって、全市の各部門、各職場、ないし各社区、各市民は危機意識を持ち、ボトムライン思想を堅持し、防疫、治療活動の確保を徹底する。全市の各級医療機関の発熱外来の人員配置、訓練をさらに強化し、検査と診断態勢の整備に力を入れ、早期発見、早期診断、早期報告、早期隔離、早期治療に尽力する。患者集中、専門家集中、資源集中、治療集中の原則に基づき、診断確定患者に対して集中的な隔離、治療を行ない、治療体制を強化し、医療の質と効果の向上に努め、疑わしい患者には治療を徹底し、効果を上げ、同時に医療従事者の感染防止に注意する。

　大局的で全面的な配置を終えた後、応勇市長は表情を引き締め、厳かに次のように強調した。この感染症は把握が困難であり、上海がこの戦

いに勝てるか否かは上海自身にある。したがって、全市を挙げて、所属する各職場で責任を果たすために、各地の職責を明確にし、責任感を発揮し、最大の努力を傾け、最も厳しい措置を取り、迅速に当該地域の防疫措置を徹底する。重点地域の検査、スクリーニングを強化し、住民が集合するイベントを極力減らし、住民が密集する公共の場所の予防的な消毒と通風を強化し、集団的な防疫に努め、環境衛生ガバナンスを積極的に展開する。団結力を強くするために、共同防疫の活動を実施し、医療関係の消耗材、防護物資の供給充足を確保する。情報発表活動を順調に行うために、公開、透明を堅持し、実事求是、スピード感をもって積極的にルールに従って、権威のある情報を発表し、社会の関心に答え、でたらめな噂を即座に一掃する。

　今、応勇市長のこのような話を聞いても、特別なことには感じられないだろうが、その時点、感染拡大の中心としての武漢でさえこの感染症について全くつかみ切れないし、感染症がどうなっていくのかも分からない。武漢はどのように防疫を行なうのかまるで意識していない段階だった1月20日に、遥か1600里（約800キロ）も離れた上海では早々と制御の「ダブルパンチ」を繰り出していたとは！

　この一撃はいかにも見事に決まった！

　さらに私が心を弾ませたのは、応勇市長の呼びかけの翌日、上海市党委の李強書記が市常委会を招集し、習近平総書記が示した新型コロナウイルスに関する重要指示の精神をよく理解する他に、上海の防疫体制について分析し、繰り返し「少しの油断も許されない」と述べたことだった。

　われわれが向き合っているのはウイルスであり、このウイルスの特徴は人類を狙って、人類の命のちょっとした隙を狙っている。ほんのわず

かの油断から、全体的な危機を招きかねない。住民はどうすべきか？それを検討する時間は迫っていた。その常委会議に出席した知人は「指導部があれほど緊張した口ぶりで話すのは初めて聞きましたよ」と感慨深く話していた。

そうだろう。「春運」という春節時期の人口大移動と言えば、上海の交通量は絶対に全国一、二を争う。連日数百万人、全体でのべ数億人が出入りする。文字通り戦場だ。いかに防疫対策を講じるのか？　ちょっと目をつぶって考えただけで頭が痛くなるだろう。しかし、慌てふためいてはいけない。全市の防疫体制の徹底を図らなければならない。患者各人の治療に全力を挙げなければならない。各患者の濃厚接触者を確実に検査、規制しなければならない。早期発見、早期診断、早期報告、早期隔離、早期治療を徹底しなければならない。防護物資と市民生活必需品の確保をしなければならない。全市民が楽しめる春節を確保しなければならない。……しなければならない。……しなければならない。

当日、市党委書記の口を衝いて出た数多くの「……しなければならない」の指示には上海市民に対する市党委と市政府の真心が込められていた。

ああ、上海よ！　どことも違う大都会よ！

その夜、私は一人でホテルを出て、100メートル先の黄浦江まで歩き、両岸の美しい夜景を眺め、もの言わず立ち尽くす高層ビルに目をやり、とうとうと流れる大河を見つめた。100年前、浦西の「漁陽路」と呼ばれていた路地のとあるビルで、四、五十歳の年長者と二十代の若者が膝を交えて語り合っている光景が目に浮かんだ。

「マルクス主義が中華民族を救う！」
「中華民族を救うためには先ず労苦にまみれた大衆を救わなければなら

ない！」

　陳独秀教授と湖南からやって来た学生の毛沢東は、しっかり握手した。この二人の巨人の握手で「主義」の鉄の長城が固められた。

　そうだ。上海の昨日は中国共産党があるから、中国はいかなる困難も克服できると語りかけているのではないか。

　その夜は、まずまず熟睡できた。空中をさまよった心が地上に静かに降りるように……。

新型コロナウイルスで上海のホテルで
「ステイ」中の筆者

最悪の大晦日にも全員出撃

2020年1月24日、旧暦の大晦日。中国人の実生活で、この日は最も快適で、最もお祭り気分で、最も喜びにあふれている。仕事はそこそこにして、年越しグッズを買いそろえ、食卓が大いににぎわうのがこの日の晩餐だ。

　親戚が集まって団欒し、友人たちの間であいさつし合い、その後、数十年来、培われた習慣—テレビの年越しカウントダウンイベント番組の「春晩」を見る。しかし庚子の年の除夜は、武漢の感染症で中国人の有史以来の「大晦日」が一変してしまった。さながら西側の国の人々がいつか突然「クリスマス」を祝えないように想像できない。中国人にとって、2020年の大晦日は空前だけでなく、おそらく絶後だろう。

　この年の大晦日は「元気なし」。武漢の感染症の妖火が全国民の心をむなしくさせ、誰も「飛んだり跳ねたり」するテレビ番組を見たいとは思わなかった。

　庚子の年の大晦日は喝采する人もいなかったがそれなりの理由があった。

　最もうっとうしい気持ちにさせたのは、この日、何億人もの中国人が家庭で予定していた「一家団欒」に突然「ブレーキ」が掛けられ、思いも寄らないことが起きたのだ。中には道半ばで「捨て置かれ」、孤独な荒野の流れ者になった人がいる。中でも最も悲惨だったのは湖北籍の長距離トラック運転手の肖さんだったのではなかろうか。

　もっと稼ぐために、この湖北省荊州の運転手は1月7日、浙江省義烏で貨物を積み込む仕事を請け負い、その後さらに深圳へ行き、福建省福州でもう一つの仕事をしてから、最後に、四川省達州に着いた。このとき、湖北で新型コロナが大爆発していたとはつゆ知らず、高速道路を疾

走するその「湖北ナンバー」のトラックは貨物を積んで走っていた。ところが、高速から降りたら、なんと肖さんに泊まらせるところはなかった。後に、湖北省内と全国の多くの高速道が閉鎖され、彼は漢中のドライブインに落ち着いたが、彼が「湖北人」であることから、誰も彼に近づこうとせず、「湖北人」の彼もむやみに外を歩き回る勇気がなく、万が一現地の人に捕まったらさらに大変だからだった。こうして、肖さんは鉄の檻に一人閉じ込められたように、誰もかかわってくれない荒野のような国道をまる20日間も流浪し、もう少しで「浪人」になるところだった。

　肖さんの運命は悲惨だが、他の人が彼よりも幸運だったわけではない。海南島で療養していたあるカップルは本来、大晦日に武漢に戻るつもりだったが、武漢市が「ロックアウト」されたので、彼らは一応長沙に行って、そこで乗り換えをしようとし、長沙で長距離バスで帰宅できるかどうか考えることにした。しかし、長沙まで到着して一晩泊った後、翌日、バスに乗ったら、すぐバスから降ろされ、「武漢には行きません！運休です」と告げられた。

　このカップルはそれぞれ自分の考えを話した。一人はいっそのことこれから雲南の西双版納へ遊びに行こう、武漢に帰るのは止めようと言った。もう一人は春節に帰らないでうろうろするのは面白くないよ、どうしても武漢に帰ろうと返事し、さらに両親が家で団らんするのを待っていると言った。

「帰ったら死ぬよ」と男が怒った。

「外にいたっても死ぬよ」と女が言った。

「外で死んだら尊厳が保てるよ。武漢で死んだら死体収容人も嫌がるよ」と男がかみついた。

「私は武漢人よ。死ぬんなら武漢で死ぬわ！　誰も私の死体を収容してくれなくても骨を武漢で朽ちさせたい。異郷の地で死ぬなんて真っ平よ」と地団太を踏んだ。

　男は何も言わなかった。女は号泣した。

　カップルは結局そこに宿泊することにした。感染状況を見て、また考えることにした。しかし、元日になると「隣組のおばちゃん査察隊」がやって来て、すぐに警察の車を呼び、二人の青年男女を「逮捕して」その車に乗せた。

「私たちは悪人じゃない。どうしてこんなことをするんだ」と女は泣き、男は怒鳴った。しかし誰一人も彼らを理解しようとはしなかった。

　彼らは怒り心頭で、繰り返し「抗議」したが、彼らに「身体の自由」さえ与えなかった。彼らは知る由もないが、実際には、現地政府の関連部門が彼らの安全を考慮した結果、こうするしかなかったのだ。なぜなら、彼らを隔離解除したら、一旦「武漢人」だということが知れ渡られると、前述の肖運転手よりもっと悲惨な目に遭うかもしれなかった。

　実際、前述の数人の武漢人の運命と比べて、「武術界の名手」の呉一琴子がネパールで経験した「伝奇」こそ、真の中国式伝奇物語だった。長髪の彼は、名前も身なりも外国人から見ると、まさに「中国カンフー」のイメージを代表している。

　彼は1月14日、ハンガリーの友人に招かれて、ネパールに到着した。ところが、思ってもみなかったのは、数日後に故郷の武漢の感染症が世界中に伝わっている。ネパールは中国の隣国だ。彼がそこでコーチを務める予定だった武術チームは活動停止になった。若者はやむなく急いで帰国のチケットを買おうとしたが、すでに遅かった。武漢行きだけでな

く、中国国内行きの全線も運休になっていた。

　金はまだ稼いでいない。持って来た金は限りがある。どうするか？現地のカレーライスも一、二度ならいいが、毎日食べるのは無理だ。そこで鍋を買って、粥を作って食べることにした。それはたいしたことではなかった。彼は持っていた数百元で部屋を借りて、寝場所は一応確保したが、稼いで生きていくために、そこで大道芸をし始めた。「少林寺カンフー」の武芸を中国武術をまるで知らないネパール人にやって見せ、併せて古琴を奏でてみた。幸いなことに普段趣味で弾いている古琴を持って来ていた。これは役に立った。時々、嘲笑されることもあったが、とにかくわずかながら食い扶持を稼ぐことはできた。1カ月余りの後、「中国カンフー」の名手である呉一琴子は、いかにも深山から出た「少林和尚」らしくなった。

　後に、当地で商売をしている中国人が彼を見て、ようやく帰国させた。

　でも、武漢人、湖北人だけが悲惨だったのだろうか？　答えは否である。庚子の年の春節は笑い話やこっけい話にあふれている。武漢の感染症が大流行し始めた時、多くの人がちょうど帰郷の旅の途中だったからだ。たとえまだ出発しなくても、みんなの気持はすでに「旅の途中」だったな！　例えば、帰郷、友人知人の訪問、海外旅行を準備しているまさにその時、もし突然、飛行機には乗れず、高速鉄道は運休、長距離バスには座席がない、国道は閉鎖、市内のバスや地下鉄も運休している場合、どこへ行くことができる？　自転車で行くか？

「降りなさい！　どこへ行きますか？」社区のガードマンか臨時警官があなたを止め、尋問する。

「俺は親戚の家に行くところですよ。」

「この町内で発熱患者が出たので、入れません！」

それでもあなたは入ろうとするか？

自転車を降りて徒歩ならいいだろう！

いいでしょう、捕まえているわけではないし、あなたの両足を縛りあげているわけでもないので、しかし、本当にあの宿舎、あの町内に行けますか？

「社区印のある通行証を持っていますか？ 持っていませんね。なければ出られません。」

「出かけて帰って来た？ 通行証は？ ない。なければ町内には入れません。あなたはここに住んでいますか？ それでもだめです。誰があなたはどこへ行くか証明できますか？ ここがあなたの家で、他に行くところがない？ 同情しますが、、われわれはあなたがどこから帰って来たか確定する方法がありません。14日間の隔離が必要です。そうでなければ『戻って』ください。戻る場所がない？ それはあなた自身の選択です。帰宅するなら隔離14日間。隔離されたくなければ、ここにはあなたを引き取る人は一人もいません。自分で何とかしてください！」

詰まるところ投降するのは「あなた」だ。しかもこのような「あなた」は非常に多数いた。面白い、面白くないは別として、これはまさにコロナ禍の最中の奇異な「光景」だった。

実際、命に比べれば、大晦日のテレビ番組を見られなかったとか、10日か20日流浪したとか、あるいは何日間か「保護」されたとしても、それはたいしたことではない。

命にかかわることが最も大切だ。

武漢以後、湖北各地に点々と小さな火が着き、急速に湖北各地で燃

え盛った。これは温もりの火でもなければ、光明の火でもなく、魔界、妖怪の火だった。ウイルスは非情に血塗られた大口を開き、毎日10人、100人さらに1000人のスピードで同胞の命を呑み込んだ。これほどの惨状とこれほどの恐怖が、すべての中国人に今年の春節前後に苦さと血なまぐささを嫌というほど味わわせた。

　武漢の感染症はかつての偉大な鉄鋼の街を雪崩のように破壊し、倒壊した。毎日、人々は死亡の脅威とウイルスの襲撃に対する焦りの中に置いた。永遠の別れが間に合わないうちに、親しい人が去って行き、生きようと懸命に戦い、その後、悪運から逃げ出せなかった人は自分の遺体の尊厳さえも放棄せざるを得なかった。6歳の子供が、父親が死んだ後、その家を一人で数日間守っていたという悲惨なケースもあった。ウイルスは猖獗を極め、涙が止まらない悲惨な出来事が次から次に起こった。

　上海はそうであってはならない！　上海は武漢とは違う。上海で雪崩が起きれば、黄浦江が血に染まる……。

　1月24日、上海市政府は活動会議を開催し、「一級アピール」メカニズムを発動し、国の「新型コロナウイルス感染症」に関する「B類感染症、A類管理採用」の指示を厳格に受け止め、最も厳格な科学的防止措置を実行することを決定した。

　「一級アピール」とは、「中華人民共和国突発事件対応法」の中の関連条例に基づいて作成された最高級の国家あるいは省（自治区、市）の関連地域の動員と措置である。SARSの時には、広東や北京等の一部の都市で、この最高級アピールメカニズムが採用された。これは国の法令の条文で規定された国家強制的な最高行動措置である。例えば、戦争動員、感染症拡大時の全民動員があり、その時はすべての公民、すべての組織、

すべての部門が統一的な行動規範に従わなければならず、違反者は法律で厳罰に処せられる。

1月24日、上海市政府は全市民と所管地区の組織に向けて公告を発出し、新聞掲載も行った。これはいわば全上海の対コロナウイルス戦争の正式な宣戦布告だった。

「一級アピール」は一般の市民にとって、以下のような感じだった。遠くへの外出が困難になった。先ず、重点感染地域から来る鉄道が運休した。航空便も同時になくなった。フェリーもなくなった。省市区間の交通機関も一律に運休した。

すべての人が外出する際はマスク着用。もしマスクをしないで、小区、職場などやスーパーなどの公共施設に入ろうとすると、先方に進入を拒絶し、退場を要求する権利があり、従わないと、当局者はその人間を拘留できる。

重点感染地域から来た人は14日間隔離される。ここでいうのは自ずと武漢から来た人だ。今から振り返って考えると、これは完全に正確な政策だったのを証明した。それでも、依然として「網を潜り抜ける魚」が存在した。彼らは何人に害を与え、国の財力、物力、精力をどれほど消耗させた。例えば、ある刑期を満了した湖北籍の女が釈放され、娘に連れられて北京に来て、娘が住んでいる小区はパニック状態になった。最終的に司法当局が自ら調査班を派遣して調査した。まさしく「大勢の人をわずらわせる」出来事だった。

当然のことながら、上海に「一級アピール」が発出された1月24日以降、すべての娯楽施設——ディズニーランド（25日閉鎖）を含む——が休業した。同じように、全市のすべての公共図書館、美術館、博物館、

公共文化館等も休館した。簡単に言えば、生活必需品を扱う商店、ドラッグ・ストアを除いて、街中のすべてのシャッターが下ろされた。

上海はまた二つの「思い切った手」を打った。公安、交通、衛健委等の部門は同日から、全市のすべての市区に入る上海行きの航空機、列車、フェリーおよび通過する車両に乗っている全員に対して体温測定と関連情報の登録を行った。現場で発熱が分かった場合はただちに臨時隔離あるいは指定病院へ搬送等の措置を取った。これは防疫ネットが全上海の陸地、水上、空中を完全に包み込んだとも言える。

中にはすごいことをする人もいた。いわゆる「盾」があれば「矛」もある。数人の外国籍の女が上海では「防疫検査」があると聞き、車のトランクに隠れて、ごまかして検問を通過しようとした。結局、依然としてある目ざとい社区の住民と検問係員に見つかって、Uターンさせられた。数日後、また同じようにある外国籍の女がトランクに隠れていたのが係員に見つかった。

こうしたエピソードを聞いて声を出して笑ってしまった。みなさん！どんなことでもするね！　でも、私が思うに、もし武漢を脱出したければ、国道、鉄道、航空機を使わず、自分の二本の脚を頼りに、郊外の畑や林を通るか、あるいは長江を泳いで渡ろうとすれば、たとえ千軍万馬があっても、そこまで見張ることができるか？　私は大いに疑っていた。なぜなら、「ロックダウン」はマイカー、列車やバス、飛行機の乗客には効果があるが、「ゲリラ」の脱出を止められるかと私が思っていたからだ。

「そうした場合もわしら止められるんや！」と、こうした疑問を上海の友人にぶつけると、彼ははっきりとこう答えた。彼は詳しく説明してく

れた。「『一級アピール』には市区の周囲の水上、陸地に垣根や塀を築け
とは言っていなかったのですが、われわれはすでに周囲の村、社区幹部
に自覚的に昼夜の当番を決め、出入りする人や車の検査を徹底するのを
要求した。これにはもちろん畑や村の隅々を含めていました。これが外
壁です。そうです、あなたはきっと、こうやっていても潜り抜ける魚が
いるのではないかと疑うでしょう。そのとおりなのです。だが、問題な
のは、そのような人が仮に上海市に潜り込んだとしても、二本の脚でど
れだけ歩けるか？　いつまでも畑を歩き回るか？　それは不可能でしょう。
彼が畑から出てくると、係員に見つかります。穴にでも潜り込まない限
り、逃げられません。もし本当に穴に潜り込んだら、14日後にまた出て
きてください！　それも自主隔離です。」

　アハハ……。この手はすごい！　人民戦争とは何か？　それは人民が
十分に、全体的に動員されたということだ。それはまさに中国だ。人民
戦争によってライバルを倒し、帝国主義列強を倒し、外国の侵略者を倒
した以上、小さなウイルスには勝っていないわけがない！

　冗談じゃないよ。「わいらの上海」はまさしく人民戦争を指導した中
国共産党を生んだ土地だ！　そこで間違ってはいけない！

　感染症拡大が下火になって来た頃、私は上海の知り合いと戦「疫」の
集団防衛と連携防衛の事情を話し合った。その時、この上海人は一連の
面白い話を聞かせてくれた。その話は私の視界を広げてくれた一方で、
心の中では大上海人の細心さ、謹厳さに敬服した。

比べて初めて誰の街が真の街か分かる

春節の年越し番組を見る気にならなかった。それにもまして、スマホ
に送られてくる情報のほうがＴＶ番組よりも心を動かした。特に武漢発
の情報はほとんど1分間隔で送られて来て、息も付けないほど緊迫した
現場の映像がネットや動画で届いた。時間と距離の概念が変わったよう
だった。

**【武漢発】**
老夫婦が発熱したので、タクシーで病院へ行こうとした。しか
し、タクシーはつかまらず、二人は助け合って、数キロ歩いて
やっと病院にたどりついた。受付に長い列ができていて、2時
間待った。その後、医師の予診に回された時には、体温は正常
値を超えていた。医師は「留置検査」と言った。「えっ、どこ
に？」老夫婦は口々に聞いた。顔中汗まみれの医師は頭を左右
に振って、「今は空いていませんから、待ってください。」二人
は廊下などで待っていた。さらに2時間。暗くなった。どうす
る？ 帰るか？ 帰宅は死を待つのと同じではないか？ 熱が高く
なっている老夫はすでに口を開く気力もない。老妻は泣きたく
ても泣けない。最終的に彼らは帰宅した……。

**【武漢発】**
ある病院の外来病棟で、入院ベッドの空きを待つ人が、数十人
からあっという間に百人以上の列になった。ほとんど希望がな
くてもベッドが空けば、新たな患者に提供される。しかし、重
症患者について言えば、帰宅は死を意味するのだ。待とう。待

つしかない。「先生、ママが危ない！　大至急、助けて！」床の上で人事不省に陥っている患者の娘がなりふりかまわず、医師を引っ張ってきた。「これは……。大至急、ICUに運んで」と命じた。娘が引っ張って連れて来たのは病院幹部の一人だった。娘は「ママ、頑張って！」と叫んだ。ママは頑張った。ICUでは数人の医師が救命に全力を挙げたがそこまでだった。翌朝、娘は母親が「亡くなった」と告げられた。彼女は泣いた。胸が張り裂けそうになって泣いたが、周りにいた多くの看病の人の耳には届かず、ただため息ばかりだった。娘は亡くなった母に一目会いたいと、遺体を乗せたストレッチャーに近づこうとすると、「近づかないで！　絶対そばに来ないで！　あなたのためです」と防護服を着た看護師らに制止された。彼女は床に崩れ落ちるように座り込み、「うつったっていいよ！」と大声を上げて泣いた。

　ここ数日、こうした光景、こうした悲劇、こうした混乱が武漢の多くの病院から放映され、全国民が心を痛め、涙を流した。

　次はこの街？ 次の死者は？ 次の感染者の家は？ 武漢以外の中国全土の人々が、大晦日、元日、二日……春節休暇の間中、こうした可能性におびえた。

　これ以上の恐怖はない。いつまで続くのか？ 3、4日か？ 10日以上か？ 感染症の前では個人、個体の体力にほとんど関係ないことが分かると、不安はますます大きくなった。どうする？ 神様にお願いするしかないのか？

国と国、地域と地域の衝突、矛盾、闘争、人と人、家庭と家庭の矛盾の現れ方はさほど違わない。小人の心、悪人のやることは忘れられない。中国人が永久に不敗の位置を守るには、それをしっかりと覚えておかなければならない。この話はもう繰り返し再三言ってきたが、多くの有識者はきっと私よりももっと透徹しているでしょう。

　防疫は戦争に似ている。その中、人の性格がはっきり表れる。軟弱、勇敢、偉大、卑屈、醜悪、崇高な性格がすべて現れる。まるで鏡のように、少し気をつけさえすれば、万象がそのとおり映し出すのだ。

　しかし、これは根本ではなかった。根本はわれわれ自身だった。われわれ自身の身内の問題だった。こうした感染拡大中における公民自身の問題だった。今のご時世において、われわれはこんな醜悪なことも聞いた。一人の入院中の幹部が、疲れ果て、気力も失せた医療従事者に「なぜ俺の便所を掃除しないのか？　これはお前の仕事だろう」と「命じた」と言うのだ。その幹部は武漢に医療従事者の仕事はすでに職責を超えて限界に達していたことを知らなかったとでも言うのか？　彼らはすでに一人の通常の留置観察者のために便所掃除をするような力さえ残っていなかった。

　これはまだいい方で、もっと手段を選ばず、大局を乱した行為まだあったかもしれない。その中で、庶民が最も許せないのは官僚主義だった。そういった職務を全うしない幹部や住民のために決断できない上層部だった。特に感染拡大に直面しているにもかかわらず、もたもたして上からの指示待ちに徹する無能官僚と彼らの責任の押し付け合いだった。彼らの行動と心構えが雪崩を打って崩壊したのは実に罪深かった。そのような雪崩現象は住民をぞっとさせた。

しかし、これはまださほどではないが、最も恐ろしいのは国の専門家が武漢を訪れた際に、感染症の現状を理解しようと思っても、一次情報を手に入れられず、いわゆる「現場視察」がお茶を濁されるようになってしまったことだ。

　2019年末、武漢市では前後して類似の症状の患者が市内の病院の発熱外来を受診し、その数は少なくなかった。

「終わりだ！　これで武漢は本当に終わった！　われわれの国も災いが降りかかってくる！　雪崩を打って降りかかってくる！」武漢衛健委の一人のスタッフが涙にまみれた顔で天を仰いでため息をついた。

　党中央の果断、英明な決定こそ、武漢で発生した感染拡大に地方指導層の責任問題があることを説明した。

　現在、私は上海にいる。上海の現状を知りたくないわけがない。上海市の首脳陣とはよく馴染んだが、今は決して「やあ皆さん元気ですか？」という表面的なあいさつで済まされる時期ではない。もう「さぞお困りでしょう。私も困っています」と言わなければならなくなった！

　私は上海を探険してみようと思った。今という非常時に、「私の上海」はどうしたか？　例えば、「一級アピール」発表後、みんなはアピールに耳を傾けているか？

　まず陸家嘴の幾つかのショッピングモールを見に行った。スーパーを除いて全部閉まっていた。1月24日午後3時過ぎ、ちょっと冒険だったが、私はあえてあるスーパーに入った。中の様子を見るためだった。驚いたのは中に客がたくさんいたことだった。私と同じように春節前の最後の「戦備品」買い出しを目的に来ている人がほとんどだった。感染されないか？　実際、その時、みんなの防疫意識はさほど強くはなかった。武

漢はやはり上海から遥か遠くにあるようだ。

　入ってみよう。私は流れに乗って入店した。

　私はマスクをしていた。多数の人もマスクを着用していた。私は大いに安心した。しかし、確かにマスクをしていない人もいる。どうするか？「ここにお並びください。そうです。2メートル空けてください。」突然、店の従業員が数人のマスクをしていない客に注意する声が聞こえた。「分かった。離れるよ。」そのマスクなしの客は自発的にマスクをしている私たちとは別の列に並んでレジを待った。

　細かなことだが、私は何か温かみを感じた。上海人は気がきく。

　次はレジで支払いだった。私はスマホ決済をしないし、出来ない。現金だ。現金を渡し、釣銭を受け取った。「ここに消毒液があります。お金に触ったら手を消毒してください」というレジ係りの声を聞いて、消毒した。「何の消毒液を使っているのか？」と、私は好奇心から瓶を見ると、植物性の消毒液で滅菌率は99％！

　素晴らしい！　商店がここまで用意周到に考えている。食料品を詰め込んだレジ袋をぶら下げてスーパーを出た私は、すでにかなり静かになった街路沿いの小公園で深呼吸した。「探険」は終わった。心得たのは、スーパーのような公共スペースがこれほど周到であれば問題はないだろう。心なしかいい気分だった。心理的な健康はウイルスの襲撃を抑制する鍵だ——SARSの時に専門家が言っていた言葉だ。

　これは1月24日午後、私が体験した「一級アピール」初日の上海浦東の感染症事情だ。私からも、私がいる上海からも「硝煙」はまだ遠いというのを感じた。というか、上海の防護網は「万全」だと実感した。

心の中で笑っていた。

　その笑いが終わらないうちに、突然、「どこから来たか？」と呼び止められた。

　ホテルのガードマンだった。マスクをして、厳しい表情で私を制止した。

「ここに宿泊している者だ」と私が言って、ルームカードを見せた。

「ありがとうございました」と、「あちらで体温を測定してください」と彼が示した。

「正常です。36.4度です」と彼が言った。「ルームナンバーを書いておきます。」その後、「ありがとうございました。上がって結構です。」

「ご苦労様です！」私が言った。

「どういたしまして。」

　こうした些細な出来事はその後数十日、奇異に感じなくなった。しかし、感染拡大前期の上海では、1月24日の段階で、私が体験した情景は思いの外、「大いに好ましい」感じだった。

　武漢で爆発した感染症が上海でも大爆発を繰り返すのではないかという疑いを消してくれた。

　しかし、これはほんのちょっとした体験であり、個人的な受け止め方に過ぎないことを私はよく知っていた。感染の嵐はまだ来てはいないのだった。ホテルは他に比べて制御しやすく、ここに来る客は登録し、各自の身分は隠し立てできない。膨大な住民が住む各社区はどうか？ 特に、武漢のように病院の発熱外来の現場はどうか？ 病院はウイルスが最も活発な場所であり、上海の病院や医療機関は準備しているか？

　武漢の病院の現状には驚かされた。そこで上海の大病院は今どうなっ

ているかと連想してしまう。現場に行って取材したり、ましてや体験したりするのは不可能であり、非現実的であり、また馬鹿なことをすれば、上海の友人に迷惑をかける。

しかし、どうしても現状を知りたかった。

多くの混乱した事態は、一般的にその中にいる人は禍中の秘密は知らないことが多い。武漢で感染症が始まった時の混乱は、庶民の目に映るのは現象だったが、役人や関連機関の受け止め方は心情的だった。なぜなら、役人はさまざまな「要素」—感染症に対する当初の判断が正確だったか否かを含む—に気を配るからだ。感染症を経験したことのない役人、あるいは感染症を理解していない役人は、ちっぽけなウイルスが「大問題を起こす」わけがないと認識した。そのため、関連医療機関からウイルス感染の可能性を報告してきた際も、関連役人の反応は次のようなものだった。影響を縮小するよう全力を挙げ、最良は深刻な「非常事」を「無事」、「小事」に変えることで、この「片の付け方」が一番いい。こうした官僚的思考が病院あるいは衛健委等の専門部門の人々に上層部の意図に「従って」処理するように仕向け、本来、感染症を扱う際に使ってはならない方式を使い、科学と医療の本筋に背き、非常に深刻な事態を「無事」、「小事」にしてしまった。

これが役人側に最初の「炎」を形成した。それは炎に過ぎなくて、ほとんど大局には無関係のようだった。しかし、ウイルスは狡猾だった。官僚的な「大事を矮小化」という心理の隙に乗じて、人類に対してさらに荒れ狂くなる攻撃を展開した。

火の玉はますます大きくなった。感染症の「妖火」は武漢全域で隠し切れない段階に達していた。病院の内外に患者、死者、感染したばかり

の人、今にも死にそうな人があふれていた。同時に全国各地に感染拡大を引き起こした。感染症の小さな火はますます大きくなり、妖火は赤々と燃え盛り、武漢は完全に浮足立ち、無秩序、混乱に陥り、焦れば焦るほど制御がきかなくなった。

これこそ最初の「ちょっとした心理」から始まり、全国的な拡大を引き起こした要因だ！

誰もその因果関係を分析しないのは、次のような「うまく言えない」理由があるからだ。誰にでも責任はありそうだが、細かく検討すると誰にも責任がなくなる。これは中国で起こった数多の大災害、人為的な事件で最後によく出される非常に奇妙な結果だ。天津大爆発事件後、私は現場を取材し、『爆発現場』という本を上梓したが、その中で、こうした問題の本質を指摘している。

私が特にこうした「心理状態」を提起したというのも、現在、中国の官庁や社会には確かにこのような深刻な異常心理状態が存在している。つまり、管理が厳しくなったからこそ、そうなら、何もすることはないのだ、という心理だ。確かに、そうしない人、そうしようと思わない人にとって、こういう環境は「いい状況」であり、彼らは自分のそうしないという卑しい根性に余分の圧力を掛ける必要がないからだ。お前は何かしたいか？ 役に立ちたいか？ それならそれでいいが、すべての責任──起きるかもしれない問題、ないしはすでに起きている問題に対してできる人がやれ！　かくして、長い時間が経過して、本当にしたいと思う人、そうできる人も心が萎えて失望し、何もしようと思わなくなってしまう。

これも一種の心理状態だ。

異なる心理状態では、異なる結果が生まれる。平穏な日常では、みんなにとっていいが、一旦深刻な問題が起きると、本来ならたいしたことではないような小さなことでも大事になり、それも収拾のつかない大事になってしまう。武漢の感染症爆発は、最初の発生から、次の処理の姿勢、ないしはその後の制御失敗後の処置方法まで、すべて武漢の官庁の心理状態に関係がある。結局のところ、心を乱し、完全に「陥落」した。

　武漢市民は泣いている。全国民がもらい泣きしている。心が痛む。

「最初の1時間」が最重要

実際、すべての感染症の伝播の過程を詳しく研究しても、一つの原則を見つけ出すのは難しい。しかし、最初の判断の正確さ、最初の措置の迅速さ、決断力によって、全人類に影響を及ぼす災難に発展するかどうかが決まる。感染症の導火線に火が付いた最初の段階で、最初の1時間で、もしただちに消してしまえば、その段階で、この感染症は感染症ではなくなり、一過性の発病で終わり、被害は数人、数十人のレベルにとどまる。これがその反対ならばそうはならない。

　上海は今回の感染症に対して「すごい」手腕を発揮し、私自身が体験した重要な点は、最初の段階で決断し、もたもたせずに自らの目標に従って、感染症の「小さな火種」を制御し、最小範囲に封じ込め、終始、この戦疫と戦い、ついに勝利したことだ。

　細かく見て行こう。1月23日から24日、そして春節の25日になると、上海の街頭の人出はますます少なくなり、バスは運行していたが、ほとんど乗客はいなかった。黄浦江辺濱江大道は本来競技場のトラックのように、毎日ジョギングする人や散歩する人が多いのだが、そのときは大変少なかった。浦東の高層ビルから西の外灘の方を見ると、連日、人であふれていた沿江堤防には数人の人がいるだけで、その半数は警察かガードマン風の人々で、大上海が「氷山」に変わったようだった。

　感じられるのは街全体にしみわたる冷気だけで、まるで真冬そのものだった。北京の家人は、今年の北京の大雪は回数が少ないが、「十年分の雪が今年ひと冬に降ったようですよ。しかも羽毛のようにふわふわな雪なのよ」と驚いていた。

　どうしたのだろう？　スマホにいつも庚子の年についての「玄学」や動画が流れてくる。例えば、カラスが湖北の上空を埋め尽くした……と

か。迷信だというかもしれないが、根拠があるらしい。とにかく、今年の冬はどんな変なことでも起き得たのではないか。

　気になるのは上海だった。街の様子は安心だったが、病院はどうなのだろう？ 感染症爆発の可能性が出て来たが、病床は足りているのだろうか？ 秩序の混乱はないだろうか？ 武漢のように多くの「真実」が人為的に隠蔽されてはいないだろうか？ 上海は我が家の先祖がいたというだけでなく、上海の多くの高官は私の友人だということだけでなく、いま上海にいる私自身の命のためではなく、2400万人の市民のために、さらにこの美しい大上海のために考えている。特に、昨年、私が『浦東史詩』を出版したとき、2019年4月22日、上海十大青年ラジオ朗読芸術家が地上632メートルの上海タワーでその本のために「上海サミット朗読会」を開催した。現場の酔いしれたような情景の記憶はまだ新しいが、こうした素晴らしい記憶およびこの街の生命が決して感染症によって削り取られ、消滅させられてはいけない！

　上海には切り捨てられない思いがいっぱいあるから、この春節にどうしてもこの街のためにいろいろ深く考えなければならなかった。

　たいして気持ちが動かなかった大晦日番組を見た後も眠れなかった。窓から感動的な「中国風狂想曲」―爆竹の「盛宴」も見えなかった。黄浦江両岸は街灯がこうこうと光っている他は何の音も聞こえなかった。ストリートを見ると、4、5分間に１台のバスが走っているだけで他のクルマは見えず、さびしい限りだった。

　スマホを見ると「新年おめでとう」のメッセージが次々に来て、ほとんどがマスクをしたアニメのキャラクターが「新年快楽」(明けましておめでとう）と言っている。つい笑ってしまったが、何やら切ない気持に

「上海サミット朗読会」

させられた。

　あぁ、何でこんなことになったのだ。

　今年の旧暦元日（1月25日）は私の人生で最もひどいものだった。部屋には新年の飾り付けが一つもない。テーブルの上にはマスクではなく消毒液が置いてあり、その傍には「戦備品」の食糧の山があった。窓から見ると、街は静まり返り、雨がしとしと降り、風が窓ガラスをたたいた。故郷の母に電話を掛け、新年のあいさつを済ませると、前夜来の「上海の出来事」を振り返り、新型コロナウイルスに一体何人感染したのだろう？

　さて誰に尋ねようか？　市の上層部の誰かに電話すれば私が上海にいることがばれてしまう。感染症関連の情報を誰に聞けばいいか？

　パッとひらめいた。『浦東史詩』と上海の地下党闘争史の『革命者』を書いた時、偶然知り合いになった上海のいくつかの大病院の有名な医

師らを思い出した。そうだ、彼らならきっと知っているし、うそは言わないはずだ。

　電話をかける前から興奮した。

「もしもし、○○先生、お元気ですか。明けましておめでとうございます」―私はそっと、何事もないように友人たち電話を掛け始めた。

「何主席でいらっしゃいますか！　おめでとうございます。上海にいますか！　そのうちまた会いましょうか！」

「何主席、おめでとうございます。上海で春節を過ごしますか！　われわれは毎日出勤ですよ。そうです。超忙しいですよ。ここ数日は病院に泊まり込みですよ。」

「いいですよ。少し待ってください。昼休みにお話できますよ。」

「状況はかなり厳しいですね。しかし、われわれは落ち着いています。ご安心ください。用事があれば、私に直接電話をください。ここの防疫体制や感染症患者の状況ですか？　お話できますよ！　それは……」

　何てこった！　みんな忙しいのに、新年のあいさつで邪魔してしまったではないか。これはまさに中国で語る「イタチがニワトリに新年のあいさつをする」(ニワトリはイタチの大好物)ということで、下心が見え見えじゃないか。スマホを置いて、自己嫌悪に陥ってしまった。

　しかし私は自分自身を許すことにした。私には「特殊任務」があるからだ。上海の感染症対策と防疫の現場の状況を知っておく必要がある。これは私にとって非常に重要だった。

「いいですよ。何先生。今ならお話しできます」と、一線で働いている専門家が応じてくれた。

「市衛健委の正式発表は昨日（24日）0時から24時の間に、全市で新た

に確認した新型コロナウイルス感染者は13例で、これまでの累計は33例です。」

「多いな。それにものすごく速い」と私は内心緊張を感じた。

「情勢は予測不可能ですね。しかし、われわれには経験があります。ここ数日がヤマです。現在、全市の防疫体制を特に厳しくしています。流入患者を見逃さず、各コミュニティ検査を同時に展開しています。これがポイントですが、武漢の感染初期段階、『一級アピール』前から『潜伏』していた患者が、街の隅々に潜んでいる可能性もあります。」

「これほどの大都会に、どれほど多くの家がある。どうやって潜伏患者を探し出す?」私は陸家嘴の高層ビル群に視線を送り、黄浦江沿いに浦西の旧市街を眺め、あそこの街路、小路が複雑に交差し、屋敷が密集している様子を思った。思わずため息が出た。心配は友人たちの身の上に及んだ。

「確かに、これは現在、上海にとって最も困難な戦いです。しかし、われわれは自信を持っています。上海は経験がありますからね! 昨日一日の症例は増加していますが、総体的にはわれわれが掌握しています。そのうち30例は病状が安定し、2例は重篤、1例は退院しました。その他、疑似症例の72例は検査中です」と先方は語った。

「それはいいですね! 死者が出ていないのはいいですね」と、私は彼の話を聞いて目の前が明るくなった。専門家でもない私は相槌を打ったが、彼の話の中でのあるポイントを気づいた。

「あなたのほうは経験がある、とおっしゃったが、どのような経験ですか?」

「感染症阻止の鍵は防疫体制です。しかもそれは早ければ早いほど効果

的です」と言って、彼は上海人が今回の感染拡大で他都市に比べて迅速だった「秘密」を漏らしてくれた。

「何主席はご存じでしょうが、われら上海人は開　闢 以来、200年の間に何度も感染症に辛酸をなめさせられています。昔の話はさておいて、1988年のＡ型肝炎から始まって、2003年のSARS、2013年のH7N9（鳥インフルエンザ）などに襲われるたびに震え上がりました。恐怖心です。昔、上海に感染が広がったときどうだったか。ここほど人口が多い街が中国にありますか？　ここほど多くの路地がある街がありますか？　人々は重なり合うように暮らしています。感染症が爆発すれば、一つの粥鍋に等しくありませんか？　逃げようと思っても逃げようがありません。恐怖心は悪いことではありませんよ。上海人は命根性が汚い（生きることに執着しすぎる）と言う人がいますが、何の話ですか？　感染症で死を最も恐れるのは、感染症に対する危機意識が最も強い人です。彼らが各方面の細かな点にまで防疫態勢を取らせるのです。現在の武漢は混乱していると思いませんか？　最も混乱することはその後まだあると思います……。彼らの病院は経験がなかっただけでなく、市民の防疫意識も上海に比べてずっと劣っていますね。熱が出たら病院に行くのは間違っていませんが、ここで知るべきなのは、発熱がウイルス性なのか、分からないわけにはいかない！　さもなくば、もともと感染しなかった人が、病院に行ったら逆に新型コロナウイルスに感染してしまう。感染していない人は問題ではないと思うかもしれませんが、彼らは感染症の経験がなかったから、くそ度胸があるが、防衛意識が微塵もありません。やりたいことをします。しかし、そんなとき、やたら動き回ってはだめです。上海人だったら、感染症と聞いた途端に、警戒心は一気に高まりますね

……」

　私は口を挟んだ。「それは私も体験しましたよ。昨日午後、スーパーに行ってみました。皆さん自発的に並び、マスクをしている人がかなり多く、人と人との間を空けていましたね。」

「そうでしょう。些細なことに見えますが、個人の感染症対策が重要なのです。新たな感染症に対して、上海は警戒心が強く、SARSが流行した年もわれわれ疾病予防管理センター（CDC）は市の指示でただちに対応措置を検討しました。そのおかげで、広州や北京のような大流行が避けられました。ご存じのとおりです。」

　そのとおりだ。このSARSについては、前述のとおり、私は現場にいた唯一の作家として、長編ルポの『北京防衛戦』を書き、上海『文匯報』にも掲載された。

　友人は続けた。

「感染症で技術面の一つの重要な点は最初の患者の掌握です。つまり、いわゆる「疫学調査」という感染経路の調査です。それは感染源を特定、遮断することができます。疾病予防管理センターがすごいのは、張永振らの専門家が一早く警告を発したことです。」

「張永振……ちょっと待って、この名前をメモさせてください！」なるほど、この人の名声は鳴り響いていたね！　さほど苦労せずにすぐネットで調べられる。

　張永振は中国CDC感染症予防制御研究所の研究員であり、復旦大学生物医学研究院・復旦大学付属上海公衆衛生臨床センター教授、セルビア・ベオグラード大学医学院客員教授等を歴任し、また国家衛生計画員会委員、中華医学会熱帯病・寄生虫学分会副主任委員等を務めている。

張教授の研究チームは世界に先駆けて2000種近い新ウイルスを発見し、そのうちの一部は既知のウイルスとの違いが大きく、現行の分類では定義できないため、新たなウイルスの科あるいは目（例えば、楚ウイルス、秦ウイルス、魏ウイルス、燕ウイルス、越ウイルス、趙ウイルス、荊門ウイルス等）を設けて、ウイルスの多様性を明らかにし、ウイルスゲノムの進化の過程の多様性、柔軟性および連続性を示した。これらの研究成果は*Nature*、*Cell*、*eLife*、*PNAS*、*PLoS Pathogens*、*CID*、*EID*、*J Virology*、『医学1000』などの医学学術誌に取り上げられ、その科学的意義を高く評価された。米国プリンストン大学等が編纂した2015年版の第4版*Principles of Virology*には荊門ウイルスの研究結果が取り上げられ、その科学的意義を高く評価された。

張永振は「ハードコア」的な人物であり、上海の鐘南山的な専門家だ。「われわれはなぜ感染症や突然変異性感染症を特に重視しなければならないのか？　なぜなら、それは人類が新たな歴史的条件下で遭遇可能ないかなる戦争よりも恐ろしくものすごい敵—未知のウイルスの襲撃だからだ！

「それらは見えない敵であり、しかも強力な敵であり、伝統的な敵とは異なり、医学的にその他数千種類のウイルスとも異なる。それが出現するのも神秘的で奇異的だが、消えるのも神秘的で奇異的である。防ごうにも防ぎようがない。

「そこで、発想を変えて、ある種の特定範囲に限定せず、視野を広げ、大環境、大角度から、国の5−10年先の需要に立脚して科学問題を提起し、併せて正確な方法と努力と相まってこそ、さらに大きな成果があげられる。

「現在、ウイルス学が確定した既知のウイルスは5000種類に過ぎず、依然としてかなり多くの空白部分がある。われわれ医学研究者、とりわけ若い中国の医学研究者はウイルス学研究に中国の足跡を残すべきである。こうした足跡を残すためには、平時は頭を研ぎ澄まし、ウイルスが襲来した時は、迅速にその遺伝子の真相に迫り、遺伝、進化と伝播の規則性を探索し、ウイルスとの実戦において、冷静、科学的で有効な闘争方式を保持しなければならない。

「いかなる新型の、未知のウイルスであっても、その遺伝子配列を明らかにし、その『底』を掌握して初めて巣窟を破壊できる。しかもウイルスゲノムは多様で、複雑かつ柔軟多変である。ウイルスゲノムの長さ、ORFの数量、組織形態などは異なり、最も簡単なウイルスゲノムはRdRpゲノムからなっている……」

何としたことか！ 以上の内容は後に私が見つけた張永振教授が2020年1月9日に武漢南湖獅子山下の華中農業大学遺伝子ビル129会議室で150人余の学生と教師を前にして行ったウイルス遺伝子の学術報告会で行われた講義の記録だ。こうした内容は当時の武漢では極めて重要ではなかったか？ なぜ単にこの農業大学の『講演』で終わってしまったのだろう？

もし、張教授のこの講義の内容は、感染症がすでに爆発的に拡大し始めていた武漢と武漢市民の間に広く伝わっていたら……、もし武漢の役人らが聞いていたら……、いくつもの「もし」が思い浮かぶが、結局、武漢の悲劇はこのようにあっという間に蔓延した。

時間的に、その日、張永振教授はさぞかし国家衛健委が組織した第1次専門家チームのメンバーとして武漢の現場視察に参加しただろう。華

中農業大学での講義はその合間に行ったことだ—以前にも言及したが、その回の視察の際に、武漢の関連部門は真実の状況を専門家らに見せなかったことになる。したがって、張教授らの大専門家もこのような講義をしたりしたしか何もできなかったのだ。悲劇というものはそれ自体が悲劇ではなく、発展の過程における一つ一つの「悲惨な出来事」が重なることによって引き起こされるのだ。結局、武漢の感染症は、最初の「小さな火」から「燃え盛る妖火」の悲劇となってしまった。

張教授の役割は武漢では軽視されたが、上海では大きな役割を果たした。

上海で張氏はいくつもの仕事を兼任しているが、そのうち最も重要な任務は——それも彼の得意分野である——上海市公衆衛生臨床センター生物安全実験室のリーダーだ。ここは全国53カ所のP3実験室の一つとして、中国最強のウイルス実験設備が揃った。上海が新型コロナウイルスの襲撃を受けた際に、表面的には氷山のように冷たかったが、その内側は鉄壁で固められて聳え立った。というのも、張教授のチームを代表とする医学研究者は武漢で感染症が発覚した当初から、誰が「敵」か、「敵」がどのような妖魔であるか正確につかんでしたからだ。これが鍵だった！　感染症と戦うことにとって、いわばこれは敵情の「秘密設計図」を熟知しているのに等しいだ。

——1月6、7日　上海市のすべての関連医療機関でウイルス対策訓練を開始。

——1月10、11日　上海人に「上海の小湯病院」と呼ばれる市公衆衛生臨床センターが正式に開業し、あらゆる臨戦態勢の機能を回復した。武漢市の「火神山病院」、「雷神山病院」が1月24日に建設に着手することは聞いたが、感染症がまだ拡大していなかった上海はすでにこの時点

で、「戦疫」に備えたトーチカを立ち上げていた。

　資料によると、上海の「小湯病院」——正式名称は「上海市公衆衛生臨床センター」——は、上海郊外の金山に位置し、2003年のSARS流行後に建設された。当時の広東省、北京のSARSから非常に重要なヒントを得た—上海の防疫トーチカとして使用するための「小湯山病院」が必要であり、これは上海という偉大な都市を守り、数千万人の上海市民を守る「いのちの舟」だ!「必ず建てる!　急いで建てる! 代価を惜しまない! 一流の建築を!」当時の上海市上層部はこのように指示したそうだ。

　また公開資料によって以下のことも明らかだ。

　同センターは上海市の「1号重大プロジェクト」であり、常設500床の他に、公衆衛生センターは広大な草地の地下に各種パイプライン、ケーブルを埋設し、短時間の間に600床の臨時病棟を建てられようにしてあり、突発事件に備えていた。もし、感染症が上海に上陸した場合、数十人、数百人さらに数千人が発生しても、この死神と決戦のトーチカは十分役に立つ。こうした「秘密兵器」を武漢が用意していれば、今日のようになっていただろうか?

　もし、日本、韓国、イタリアはじめイランなどの国々がこうした「秘密兵器」、「秘密基地」を持っていたらどうだっただろう? 世界株価の「雪崩現象」は起きていただろうか?

　絶対にそうはならなかったはずだ。超大国の米国ももっと鼻高々になれたはずだが、彼らは全く準備していなかった。私が知っているかぎりでは、昔の北京にも「小湯山病院」があるが、その後は廃棄されたというか、少なくとも今まだ保っている部分があまりないそうだ。上海のは

使用したことはなかったが、戦闘態勢をずっと維持し、内も外も、装備の面でも、技術的にも、危機意識の面でも光を放っていた。

「われわれはここを金山と呼んでいます！　これは最も堅牢な金城鉄壁で大上海と上海市民の生命を守る金の箱舟ですよ！」上海人はこのように私に自慢した。

　そのとおりだった。「金の箱舟」は「１号患者」──前述の1月15日夜、同仁病院で発見された武漢からやって来た新型コロナウイルス感染症患者──に対処するためにフル稼働した。

「何をしたのですか？」と素人の私は尋ねた。

　上海の友人は「疫学調査です！　疫学調査ですよ！」

　分かりました！　この私の脳裏に刻まれていたのはもう17年の医学用語は突然出てきた。

「疫学調査」は感染症制御の中で極めて重要な最先端の活動だ。例えて言えば、「偵察兵」、「斥候」に当たり、迅速、科学的、高効率、段階的な調査を行い、感染源と濃厚接触者を特定し、感染拡大を食い止め、感染の可能性がある人々を順次検査し、救急治療を行い、これこそが感染経路の遮断、感染拡大の防止の鍵を握る措置だ。医療の行為は現存在を扱うことだが、感染制御の作業は増幅を抑えることだ。2003年の北京SARSの取材経験を思い出した。当時、北京の「疫学調査」を率いていたのは、後に国家衛健委専門家チームのリーダーとなる梁万年だった。彼のチームはシャーロック・ホームズのように、個別のコミュニティ、患者宅、関連職場、患者が移動した場所に入り込み、詳細で危険の伴う調査を行なった。なぜなら、もし一人でも患者が出現し、濃厚接触者をすべて見つけ出さなければ、蜂の巣をつついたような深刻な事態になる

からだ。

　日本全土を震撼させたクルーズ船の「ダイヤモンド・プリンセス号」のような悪夢を生んだのは、まさに最初あの80歳の香港人の「疫学調査」が不十分だったということだ。これこそがその後の日本と香港の感染拡大を決定付けた。

　一昨日、本書の原稿執筆中に、寧夏回族自治区で国外から帰国した人が新型コロナウイルスに感染したことが報じられた。翌日、彼女の行動軌跡―上海等を含む空中、陸上の行程―が明らかにされ、70人余りの濃厚接触者が判明した。これこそが「疫学調査」の使命だ。これによって、ウイルス源の動向を把握し、感染症を滅ぼす有効な手段を取ることができる。

　仮に、その重要性を文学的な視点から見ると、実に物語性に富むのではないか！　もしその一つ一つの「疫学調査」のエピソードをすべて集めたら、その量はおそらく十冊、百冊の古典小説および百本の映像作品に匹敵するだろう。

　一体、上海ではどうだったのか？

　1月16日夜、上海で「1号患者」が出現後、市CDCの疫学調査チームはまるで消防隊が「火災発生」の通報を受けたように、ただちに行動開始。

「もしもし、そちらは市CDCですか？　こちらは長寧区CDCです。所轄の同仁病院がたった今、武漢籍の女性で、新型コロナウイルスに感染した疑いが極めて濃厚な患者を収容しました。すぐに人を出してください！」

　電話は同日午後5時頃だった。

「分かりました。ただちに派遣します！」待機中だったセンター感染症

対策科の二人の医師の宮霄歓と肖文佳を同仁病院発熱外来に向かわせた。彼らはPCR検査の結果を待ちながら、疫学調査に着手した。

　宮霄歓先生は次のように語った。

「当時、ほとんどすべての人が『新型コロナウイルス』に対する認識が不十分でしたが、われわれはかなり分かっていました。しかも、戦闘準備に入ったのは12月31日に武漢側から新型コロナウイルス出現の連絡があったときからでしたので、実際に来たときには迅速に出撃できました。しかも、『1号患者』とその家族はかなり協力的でした。彼女の発病経過を聞いた後、われわれスタッフは発病前14日間の全状況の把握に努め、彼女、彼女の娘、娘婿に発病後の立ち回り先、接触した人について重点的に質問し、特に武漢から上海までの移動方法、同仁病院に来る時の車などについて聞き出し、彼女が接触した可能性のある人はすべて将来的に発病する可能性があることを確信しました。」

　もう一人の医師の潘浩の説明によると、「1号患者」に疫学調査を行うその夜は、医療チームにとって非常に印象的だった。彼女のPCR検査の結果は翌朝午前2時5分に出た。結果は、弱陽性。しかし、新型コロナウイルスの伝播の経験から判断すると、弱陽性はすぐに比較強陽性、強陽性に変化するので、専門家が検討を重ねた結果、最終的に彼女を上海で確定診断した新型コロナウイルス感染症の1号患者と確定した。上級機関に報告すると同時に、疫学調査はまるで一つの激しい戦闘のように開始した。

　私は彼らに「1号患者に対する疫学調査に掛った時間は？」と尋ねると、「数時間でした」という答えだった。

「そんなに速かったのですか」と尋ねると、「速くないと意味がありません。

疫学調査という作業は正確さを求めるだけでなく、時間も鍵です。ちょっと手間取ると、本来一人だった対象者が数人、数十人になる恐れがあります。そのような教訓はすでに多すぎるので、骨身にしみています。」

　ああ、天よ！

　私は「もし一日遅れていたら……」とその恐るべき結果が思い浮かんだ。「われわれに『もし』はあり得ません。1分1秒を争って『地雷』を除去しなければなりません。その除去も少しの死角を残してはいけません。さもなければ、感染症にどんでん返しされてしまいます。」

　実際、武漢ではまさしくそうだった。武漢で大問題が起きたのは、まさに最初の地雷が除去失敗だったからだ。根本的な対策を講じないので、「地雷」があちこち潜伏し、結局、もたもたしているうちにもう「全面開花」してしまい、収拾がつかなくなった。

北京SARS「1号患者」が残した禍根

上海の友人の話は私を暗い気分にさせた。当時の武漢を思い起こさせたからだ。彼らは全く疫学調査に配慮していなかった。彼らは病院の廊下に横たわる確定患者に初歩的な治療を保証することすらできなかった。そのときまさに、武漢から500万人余りが春節休暇で全国各地に向かう途上だった……。

　あぁ！　北京SARSを「内側」から知っている私は恐ろしくなり、思い出したくもなかった。

　17年前、SARSは北京人の念頭には全くなかった。広東、香港辺りで感染した人がいると聞いた、という程度だった。

　4月初めの首都北京は忙しいが喜びに満ちている。年に一度の「両会」が開かれるからだ。北京は「両会」一色になり、こんなときに、北京人が狡猾なウイルスのことなど思いも寄らない隙に、「敵」はひそかに市内に潜入し、われわれとの一進一退の戦いが始まり、まるで600年近く前に紫禁城が転覆した時のような騒ぎだった。

　この感染症を一線で取材した状況は、以下のようだった。

　2003年3月1日、301病院。北京現代史の記録すべき時間だ。

　この戦いは1日午前1時から始まった。有名な中国人民解放軍総合病院（301病院）がSARSの1号患者を迎えたのだ。

「われわれは救急受付を終わっていますので入院したいと思います。どうにかお願いします！」山西省の若い女性が夫に付き添われてやって来た。

　応対した医師は「今日は土曜日なので入院手続きはできません。急いでいるなら来週月曜日に……」と言ったものの、簡単に診察して、「先ず救急外来に行ったほうがいいかもしれません」。患者の夫は「結構です。

入院できればいい」と大いに感激した。

　若い女性の高熱は下がらず、救急外来からさらに呼吸器科に回された。「ねえ、どうしたの？　少しは食べなさいよ。食べないと体力が持たないよ」と患者の母親は苦しそうに激しく胸を上下させている娘を見て気が気でなかった。56歳の彼女自身もその時、体温は39度に達していた。

　娘婿は妻と義母の様子を見て、医師に「何とか義母も入院させて下さい！」と頼み込んだ。

　医師は体温を見て、「何てこった。すごい熱だ。すぐ入院させましょう！」

　余丹陽医師は言葉を選びながら、「ご家族の病気は、香港のSARSの症状によく似ています。隔離しなければなりません」。その後、すでにSARSに感染していた義母も別な病室に隔離された。

　同じ頃、女性の父親が山西から電話で熱が出たので病院に行って、数日、点滴を受けたがよくならないので、彼も北京の病院に行きたいと話した。高熱にめげずに、娘は「じゃ、こちらにいらっしゃい」と言った。

　3月5日、父親は飛行機で北京に到着し、直接302病院に入院した。一つの大家族が北京に集合した。患者自身の他に、その夫、1歳余の男児、彼女の実弟夫婦、大叔父、叔母ら合計14人だった。

　その多くが発熱の症状が出ていた。病院側と相談した結果、病院側は「301病院は呼吸器専門病院ではありませんから、302病院に転院しましょう」と伝えた。

　父親はもう直接302病院に入ったこともあり、家族が一緒にいればいいだろう。ということで、救急車を手配して患者を転院した。

　このように、この家族の患者は親族や友人に助けられながら救急車に乗り、3月6日、解放軍302病院に入院した。後に分かったが、同病院で

は長時間に十数人の医療従事者が感染し、北京で最も早くSARSに感染した医療従事者と医療機関となった。同時に、迅速にSARSに反撃し、姜素椿のような多数の白衣の戦士が現れた。

3月7日、女性患者の父親が突然死亡した。これは北京でSARSによる最初の死者だった。

302病院は緊張した。

限られた経験から判断したところ、この一族の病気は広東、香港で流行しているSARSにそっくりだった。そこで、管轄の豊台区疾病予防管理センター（CDC）と衛生部に報告した。豊台区CDCのスタッフが302病院に赴いたが、手ぶらで何の成果も得られなかった。

このとき、「両会」が開催中であり、軍は感染症を重視し、北京市CDCの行動に注目が集まった。豊台区CDCの報告を受けた北京市CDCは専門家を派遣し、初めてSARS患者に接触した。

派遣されたのは若い主任の沈壮だった。

「あの日が感じた寒気、私は今でもよく覚えていますよ。」

この公衆衛生の専門家はその後に北京のSARS戦闘の最前線に赴き、特に、3、4月には他の戦友とともに極めて緊張し、危険な戦闘に加わり、SARS患者救済治療に専念した。彼は北京SARSの実情を知る証人の一人でもあり、私の友人でもある。

実は、沈壮という人は決して「壮」ではない。SARSが繰り返し北京を襲撃していた当時、「SARSキラー」と呼ばれるCDCの専門家の彼は「たぶん、この間、体内の栄養分はほとんどSARSに飲み込まれたかな」と冗談めかして言ってくれた。

われわれは旧知の仲のようだった。しかも、互い接し方はその時の北

京人が恐れる「０メートル接触」だった。正直に言えば、心中が穏やかだったわけではなかったが、感染症のコア部分を取材するレポーターとして、無数の北京人の命を守るため戦っている英雄の感情を害する行為はしてはいけないと思った。

　沈壮は同僚と一緒に現れ、北京のSARSについて分かりやすく説明してくれた。

「ここには北京のSARS患者一人ひとりのオリジナル病歴を持っています。これほどの長さになりますよ」と言って、両手を広げて見せ、二人の身長に相当する長さを示してくれた。

　私が沈壮のことを取材して書くまで、ほとんど誰も彼のことを知らなかったが、私には、彼は北京SARSとの戦いで最も偉大な戦士の一人だ。彼を中心に、北京市CDCは2500人規模の「疫学調査チーム」を組織し、北京のみならず、全国民のために、SARSと戦い、不朽の功績を残した。多くの分析材料は彼らが自身の生命の危険を冒して、患者のベッドから、救急車内から、霊安室から収集されてきたのだ。

　山西省の女性患者の父親の感染死亡で、北京SARSの感染症戦争の火ぶたが切られた。

「沈壮、急いでセンターに来てくれ。緊急事態発生だ！」3月8日早朝、4時か5時頃、緊急の作業を終えて帰宅し、2時間ほど眠っただけだった沈壮は電話の音で起こされた。

「今すぐ行きます」と言って、妻の布団を直して、そっと家を出た。初春の北京は寒気が体に忍び込む。彼は身震いした。

　同日午前、沈壮は部下を連れて302病院にやって来た。302病院の要請で会議が開かれ、北京市衛生局、国家CDCスタッフ、解放軍総後勤

部衛生部門、302病院側と沈壮を代表とする北京市CDCの5者が参加した。議題は北京初のSARSによる死者の処理と感染症対策だった。会議で302病院は患者の治療と死者の処理を担当し、解放軍総後勤部の防疫部門は病院内で感染していそうな人々の追跡を行ない、国家CDCは疫学調査に責任を持ち、沈壮らは軍以外で患者一族と接触した人々の調査に取り掛かることにした。午前11時まで会議が行われ、死者は病医内の霊安室に安置された。

　実際、北京市衛生系統部門は市政府の統一的な作戦に従って、4月に感染症が爆発的に拡大する前に一連の準備を整えていた。2月11日、広東省が記者会見でSARSの発症を公表して以来、北京市衛生局は安貞病院、朝陽病院、海淀病院、友誼病院、児童病院の5機関を呼吸器系感染症の治療能力がある医療機関として、SARS対策の任務を与えた。市の救急センターもその任務を引き受けた。当時、SARSではなく、この感染症は中国語で「非典」と呼ばれ、「広東非典病」と呼んでいた。まだ、大多数の人はSARSがそれほど強い感染力を持っているとは思っていなかった。このウイルスの感染力は他のウイルス並みだとみなしたゆえに、1世代ごとに弱まり、5世代にもなれば感染力はなくなる、と認識する人もいた。われわれも北京を騒がせることになるとは全く想像していなかった。こうした認識は誰の責任でもなく、SARSの本性を誰も知らなかったからだ。ただ、沈壮ら北京の専門家にはその恐ろしさが周知の事実だった。

「北京市衛生局および疾病予防管理専門部門としてのわれわれにとって、広東省、香港のSARSが報道されてからは、私たちの警戒心は一度も解いたことがなかった」と、沈壮は衛生部門が作成した資料を私に見せて

くれた。

　一部は北京のSARS初症例患者一族に関する報告で、この報告の最後には、「本件発生が両会開催期間中であり、しかも患者の広東省との接触が疑われ、感染の疑いが濃厚であることを踏まえて、早急に症例の拡大阻止、治療を行なわなければ、影響が出ると思われる」と記されていた。

　もう一部は『北京市衛生局のSARS性肺炎に対する方策』という資料だった。この方案は数ページにわたり、感染範囲を小範囲、中範囲、全市的な大範囲と分類し、その出現に応じて、「1級警報」、「2級警報」、「3級警報」を発するメカニズムを建議している。

　この2番目の報告は、3月8日、沈壮が出席した緊急会議後に衛生局が急遽作成したものである。

　この会議の際に、沈壮と同僚の賀雄が「どんな方法を講じてでも、今夜零時までに302病院の山西省の患者らの状況をまとめ、局に報告するように」と指示されていた。

　沈壮は上司が山西省の患者の病気が拡散することを懸念していることがよく理解でき、同夜10時、CDC副主任の賀雄とともに302病院に行った。病院1階の廊下で、一人の医師が彼らは山西省の患者の調査で来たことを知ると、マスクを1枚ずつ渡し、「どうぞお入りください、私たちはお供しませんから……」と言い残して、立ち去った。残された二人は呆気にとられて、互いに顔を見合わせた。

「マスク以外の防護服は？」と私は聞いた。「何もありませんでしたよ。当時、防護服なんかあるものですか！」廊下はがらんとしていて、ただ山西省のその家族が3つの病室に入っているだけだった。今から見ると、今年の武漢の感染爆発の最初の頃もSARSの最初の頃と同じように、医

師らの防護体制はかなり劣っていた。たとえSARS当時に比べれば、医療の実力、国の実力には格段の違いがあるのに。

　私は沈壮らが行った疫学調査を見せてもらった。それによると、患者は于さん、女性、27歳。山西省太原市出身。職業は装飾品販売。2003年2月、出張で広東省へ。出発前に、彼女の母親が広州で働いている知人に電話を掛け、SARSはどんな状況か問い合わせた。先方の答えは明快だった。「みんな噂話よ。ちっとも深刻じゃないわ。」父親は「それでも注意した方がいい」と言って、SARSに効果があると言われていた板藍根を持たせた。

　于さんはこうして広東に出掛けた。両親の忠告を覚えていた彼女はタクシーの運転手にSARSについて尋ねた。すると、運転手は「毎日、多くのお客さんを乗せているので、俺も順番かもしれないけれど、ご覧のとおり、元気だよ」と冷やかすように話していた。

　聞くたびに、「何もない、何でもない」という答えで、于さんは心理的なバリアを脳裏から消してしまった。彼女はやるべき仕事をいつものようにこなした。

　2003年2月22日夜、彼女は車で深圳から広州に向かった。その時、体がだるく、全身に悪寒があった。23日、こうした不調を覚えながら、空路で広州から太原に戻った。体温を測ると、38.8度もあった。

　その日、彼女は太原市内の病院に行った。SARSに罹ったのではないかと緊張して医師に尋ねた。「そんなに心配することはないですよ。そんな簡単にうつりませんよ」と笑われた。X線フィルム、血液検査の結果も届いたが、「問題はありません」。

　しかし「風邪」による高熱は下がらなかった。于さんは不吉な感じが

ぬぐえなかった。彼女は夫の手を握りしめ、苦しそうに「どうなるんだろう。何とかして……」と懇願した。夫は歯をかみしめて「手遅れにならないうちに、中国で一番いい病院に行こう。」

　こうして患者は死神の手を逃れたが、北京には取り返しのつかない苦痛が持ち込まれた。

　上層部は沈壮に二つの任務を与えた。一つは患者の病歴把握であり、それによってできるだけ早く拡大を阻止する。もう一つは、患者周辺の未感染の親族を患者から離し、北京を離れ、山西に帰らせる。「CDCスタッフは通常のやり方で病例の全過程を明らかにし、可能な限り感染を制御することしか考えていませんでした。患者周辺で発病していない人を山西に返したのも他意はありませんでした。当時、われわれもSARSに潜伏期間があるのか否か、潜伏期間中に感染するのかしないのか、全く分かっていませんでした。ただ、SARSが感染症であり、拡大させてはいけない、と思っていました。」沈壮は苦いものがこみ上げるのを感じた。

　翌日、山西から救急車がやって来た。沈壮は前夜来、患者親族の説得に努めた。その結果、于さんの親族は山西に戻ることに同意した。その日、非常に珍しいことに、北京は春雪がちらつき始めていた。

　同日午後、1台の救急車が于さんの祖父、大叔父と雇用した従業員2人を乗せて太原に戻った。太原側はこれらの人々の隔離観察を行ない、そのうちの一人、于さんの従業員のSARS感染が確認された。

　北京に残った于さんと親族は悲惨だった。義父が7日に亡くなった後、56歳の義母も亡くなった。于さんの夫、弟、その妻、大叔父が次々にSARSに感染し、于一族は悲惨のどん底に突き落とされた。しかし、于

さん本人は302病院の医療従事者の懸命の治療と看護によって、他の親族とともに、1カ月後、全快して山西に帰ることができた。このケースから見ると、今回の武漢の新型コロナウイルスはSARSに極めてよく似ている。若年層、特に女性の死亡率は、高齢者、男性患者に比べてかなり低いことが分かる。

　当時、沈壮が慰められたのは、于一族が感染症の恐ろしさを理解していたことによって、多くの人の命が救われたことだった。「隔離病室で働いていた若い女性スタッフに隔離されている于一族の人と接触したかどうかを聞くと、一人のスタッフが、『おじいさんが私たちに、自分たちは伝染性の肝炎なので、接近しないようにと積極的に話してくれました。だから、われわれの中の誰も感染しませんでしたと話していました』」と、沈壮が語ってくれた。

　しかし、心配事がまた起きた。沈壮らが于一族に、再び他に濃厚接触者がいるかを尋ねたところ、北京にもう一人のおじさんがいて、于さんの父親が亡くなったときに立ち会っていて、于さんの父親がまさにそのおじさんに抱かれて亡くなったそうだった。

「それは危険千万な話だ！」と、沈壮は驚いた。「どうしてもっと早くわれわれに言ってくれなかったのです？　大変ですよ！」

　他人に知られたくなかったからで、おじさんは感染を気にしてびくびくしていたに違いない。「今どこにいるのですか？」と、沈壮はもう一度、尋ねた。

　誰も口を開かない。「あなた方！　彼の命に関わるのですよ。責任持てますか！」沈壮は怒り出さんばかりだが、ベッドに横たわっている于さんの親族をみると、強くも言えなかった。「皆さん、とにかく彼に次の

ことを伝えて下さい。第1に、人と接触しない。第2に、どこか気分が悪くなったら、すぐにわれわれに電話をくれるように伝えておいてください。」沈壮には他に方法はなかった。SARSは法定伝染病に指定されていなかったので、法律上は患者に履行義務を強制できなかった。

これは2003年3月10日。その後、沈壮は気が気でなかった。12日、思いがけないことが起こった。于さんの北京在住の祖父から直接電話があり、発熱したと伝えて来た。

最悪だ！ 心の中で「ガクッ」と何かが崩れたような音がした。「家から出ないで入院の準備をしてください。救急車ですぐ迎えに行きます。」「われわれはおじいさんの家の前に救急車を停めるわけにはいきませんから、かなり離れ、目につきにくい場所に停めました。私ともう一人の同僚が手に白衣とマスクを2枚持っていました。患者の待つ場所までは行けませんでした。患者さんの気持を察したからだった。さらに、近所の住民にわれわれのSARS患者搬送の任務を知られたくありませんでした。われわれは『地下工作者』のようでしたよ」と沈壮は話していた。

目的地について、沈壮は一喜一憂した。「喜」は、患者が自発的に自己隔離し、他人と起居をともにしていないことだった。「憂」は、患者の症状が明らかにSARS感染を示していたことだった。

おじいさんを直接佑安病院に搬送した後、沈壮らは職場に戻り、日誌に2003年3月12日と書いた。ごく普通のことではあったが、この日付は極めて重要だった。

この日が普通の日だというのは、99.999％の北京市民が命に関わるSARSがすでに首都にもぐりこんだことを知らなかったからだ。この日は特別重要な意義があるというのは、世界保健機関（WHO）が正

式に重症急性呼吸器症候群（Severe Acute Respiratory Syndromes＝SARS）と病名を明らかにし、世界に向けて警告を発したからだ。

　あの年のSARS患者1号から北京に伝播した全過程、ならびに彼女がもたらしたウイルスの伝播と感染の状況を知ることは、今回の武漢から始まった感染症を含めたウイルス感染の法則性を知る上で非常に意義がある。残念なことに、われわれ作家が書いた作品はほんの一部の読者が読むだけで、全社会の数え切れない生命を守る重要な公衆衛生事件の教訓、経験として残されていない。これは現代中国の「社会病」の恐るべき側面の一つだ。

　武漢の新型コロナウイルスで、多くの人が嘆き悲しんだが、おそらく3年もしない間にきれいさっぱり忘れてしまうのではないか。「3年？　俺は3カ月で全部忘れてしまうよ」と友人の一人は私に話した。

　しかし、何はともあれ、文化人の一人として、自分の「叫び」をしっかり伝える責任があると思う。

　私は、今、上海のことだけを考えている。なぜなら、武漢の感染症は北京のSARSよりも猖獗をきわめているからだ。上海は北京のように「おおらか」ではなく、路地の奥の奥まで手を尽くしているように見えるが……。

　しかし、大上海を見損っていたようだ。上海は全国の最前線に立ち、また「標準的な防疫」を上回る水準に達していたとさえ言える。

街の隅々に「遊撃隊」

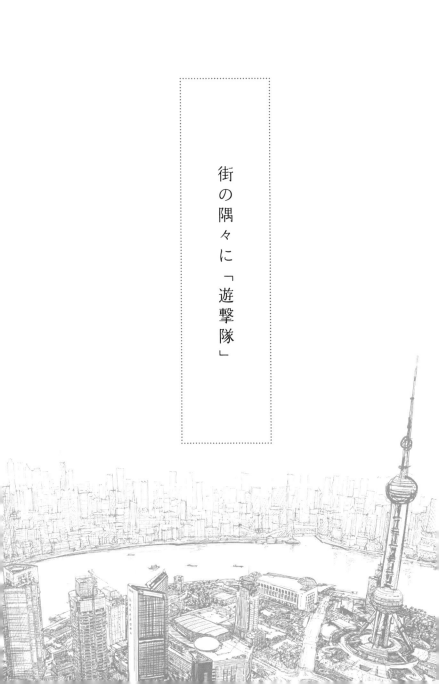

私は『東方ネット』の記者が書いた下記の疫学調査についての現場報道を読んで感動した。

　　深夜10時、上海の夜は静まり返っていた。しかし、24時間体制の徐匯区CDC感染症対策室はこうこうと明かりが付き、スタッフは資料整理に余念がなかった。
「ジリジリ……」突然、電話が鳴り響いた。周祺とそのチームに緊張が走り——受話器を取ると、慌てた声で——「○○病院です。発熱外来で感染症らしい患者を見付けました。すぐ来てください」。
「すぐ行きます！」
　周祺ら当番スタッフは、疫学調査救急バッグ——防護服、防護ゴーグル、手袋、マスク、調査フォーム、業務用携帯電話が入っている——を持って、慌ただしく出発した。
　患者から約1時間話を聞き、疫学調査メンバーは患者の行動履歴をほぼ掌握した。午前1時、CDCに戻った彼らは状況を整理し、午前7時に報告を提出した。
「抗疫」戦はこのように眠られない夜を強いられることが、日常茶飯事だった。患者を診断後、疫学調査チームは6時間以内に関連の報告をまとめる。8ページで以下のような100項目の設問がある。患者はいつ発病したか？　この間に利用した交通機関は？　濃厚接触者は？　そのときの防護は？　周祺は「食べた食事、乗った交通機関の一つ一つをすべて明らかにしなければなりません。過去2週間の1時間1時間をきっちりつながらず、少

しでもあいまいな点があると、未知の人を感染リスクにさらす
ことになりますから……」と語った。

「報告の項目一つ一つの正確さが求められます」と流調にスタッフは言
った。しかし、個人的な状況、性格はさまざまであり、彼が言っている
ことがすべて真実か？　そもそも記憶は確かか？
　SARSのとき、梁万年に同行して、北京市西城区のある社区に疫学調
査に行った際に、「地下工作者」のように中に入る手立てを考えた。救
急車で乗り入れたら、影響は大きく、社区が「感染の疑いのある人」と
その家族に対する「抗議」に立ち上がり、もしかすると、社区（コミュ
ニティ）から追い出すかもしれない。したがって、大っぴらにその社区
に入って行くわけにはいかなかった。ここでうまい具合でも、たとえ対
象者を見つけて、住宅にすんなり入れてくれるかといって、往々にして
せいぜい階段の片隅に止められて、距離をあけて対象者に尋ねるしかな
い。「私は感染していませんよ！　万が一お前らのせいで、逆に感染させ
られたら、誰が責任を取るのか！」と食ってかかられる。言っているこ
との筋が通らないわけではないが、もし疫学調査は正確な調査を徹底せ
ず、万のうちの「一」をあいまいにしてしまうと、防疫に大穴を開けて
しまうかもしれない。
　『東方ネット』の記者が疫学調査の現場取材によって現した状況は、私
がSARSを取材した当時の事情とほとんど同じだった。

　「覚えていらっしゃいますか？」「よく覚えていないね。」——

このようなやり取りの場面に周祺はもう何度も繰り返し遭遇した。対話が続けられなければ、患者の行動軌跡を追えなくなる。どうするか?「台本どおりに話しては絶対にいけませんよ。世間話をするように、患者さんを友達として扱うのは大事です。」

　周祺は率直に、患者の拒否反応は理解できると話していた。「体には病気がもたらす不調があり、心理的には未知の恐怖にさいなまれているからだ。そんなとき、過去14日間ないしもっと前の行動軌跡を思い出させられることに対して拒否反応を示すのは避けられませんよ。たとえ拒否しなくても脳が混乱しているはずです。」

　なるべく早く正確な情報を入手するために、周祺はいろいろ工夫をこらして雑談の雰囲気を作り出し、患者によもやま話をするように感じさせて、心を置かないで自分の経歴を話し出します。「コツは比較的に明確な時点から聞き始めるのだ。例えば、年越しの料理はどこで食べたか? 誰と一緒だったか? 友達に会いに出かけたか? こうした質問には答えやすいですから、患者の口を開かせることができます。」

　隔離病室に1分長くいれば、1分のリスクが増す。しかし疫学調査チームは正確な行動軌跡を見つけなければならない。「重篤な患者に聞く時は、対象者の精神状態、反応具合が比較的によくないので、やり取りのスピードが遅くなります。そうしたときは、客観的な証拠を見つけてみます。例えば、病院に行った日が特定できなければ、カルテを探し出し、あるいは診察券を探します。もし、過去2日間に高速鉄道に乗っていれば、乗

車券をとってあるかどうかを聞き、あるいは乗り降りした時間
と駅名を聞き、その列車を探し出します。効率は悪いですが、
情報の確度が不可欠なのです。」

今回の新型コロナウイルス感染症で、上海では毎日公式アカウントに
当日の感染状況が公表される。ある日、「確定診断症例のうち2例は湖
北との接触歴なし」と公表したが、その後、これに関する続報がない。
市民は「真相」を知りたがる。

「市民のこの情報に対する関心は高く、このうちの一例が徐
匯区にいました。われわれも大がかりな調査を展開しました。」
周祺によると、行動軌跡の調査によって、疫学調査チームは最
終的に、上海南駅に注目した。「その患者は上海南駅で乗り換
えたとき、同時に湖北発上海行きの列車が南駅に到着し、二つ
のホームは隣接していました。その列車に確定診断を受けた患
者が乗車していたのです。ゆえに、彼は湖北との接触歴がない
とは言えません。」
　その数文字の背後には疫学調査チームの尽力があった。周祺
の次の一言に彼らの心の声が現れている。「一つ一つの情報が
正確で誤りがないことを願っています。これがこの硝煙なき戦
争での唯一の拠り所であり、同時にはわれわれが市民に提供で
きる最大の支援です。」

この報道を読むだけで、上海疫学調査前線の「心臓が破裂しそうな」

緊張感が伝わって来る。この成否は感染症がどうなっていくのかの要である。これこそは私と全上海市民の最大の関心事だった。

「上海の確定症例の患者は何人ですか？ 上海の感染症の現状と将来は、つまり上海の2400万人余の市民の現状と将来はどうなりますか？」

「今のところ合わせて33例です。そのうち30例は病状が比較的安定し、2例は重篤です……」

「それでは確定診断した33例の疫学調査は終わったのですか？」

「終わったのもありますし、調査中のものもあります。」

「間に合いますか？」

「間に合わなくてもやらなくてはなりません。」

「スタッフは足りていますか？」

「今のところは確定診断した患者は30数人ですから、全く問題はありません。問題は今後、武漢のように数百人、数千人規模で発生した場合は……」

「上海がそうなる可能性はありますか？」

「誰も分かりません。」

　　――私は暗澹たる気持ちをぬぐえなかった。

「ですから、早期発見、早期排除、早期治療、早期隔離なのです。現時点ではあらゆる面で猶予はありません。行動は迅速に、果断に、代償を惜しまずやってこそ、感染症の脅威が最小限に抑え込めます。何先生、ご安心ください。われわれには経験がありますし、上海市民の自覚も高いですから……」

「それを聞いて安心しました。忙しいところをありがとうございました。ご自身の安全にも気を付けて下さい。」

「ありがとうございます。また連絡します。」

　こうした間にも、上海各地の感染症対策の前線ではさまざまな戦闘が
展開されていた。その陣容は上海の歴史始まって以来だった。

　折から、風邪が流行する季節であり、頭痛、発熱の原因が何か、疑心
暗鬼にならざるを得ないだろう。

突然「発熱」したら病院に行くべきか？

各人の身体は人それぞれだ。牛のように強壮な人もいれば、病弱な人もいる。しかし、冬場になると誰でもちょっと頭が痛かったり、熱が出たりすることがある。

　今年の冬は特に用心しなければならない。私もそうだった。部屋のエアコンを終日付けっぱなしにしなかったら、すぐ鼻が詰まり、全身寒さを感じた。しかし、熱いお茶を飲むと、汗がただちに出た。血糖値が高いせいが、絶対に発熱はだめだ。ましてや、今上海でのこの春節に！普段だったら、風邪を引いてもたいしたことはなく、薬を飲むまでもなく治ったものだ。しかし、今回はそうはいかない。風邪の熱だとしても通報すべきか？　通報すれば、救急車が来て、病院に連れて行って診察させるだろう。しかし、そうならば、病院で新型コロナウイルスに感染してしまうかもしれない。

　病院に行かなければ、もしもすでにコロナに感染しているとしたら、手遅れになってしまっただろう──このご時世に、健康というものはマラソンのように分秒を争い、寸刻もおろそかにしてはいけないのだ！

　気掛かりなことがあると、病気でなくても熱が出ることがあるものだ。これは本当だ。私は2003年、多数の発熱した人が救急車で病院に搬送されるのに出くわした。すると、その一家とコミュニティ全体がパニック状態になり、たとえ大勢の非難や批判などの反応が殺到しなくても、他の人々はその一家、その社区を避けようとした。北京SARSの当時はこうしたことが頻発した。しかも、病院側もSARSについて詳しくないので、発熱外来に行くと、「疑似SARS患者」と見なされ、感染確認の患者と一緒にされる心配があった。中にはSARS患者と一緒に20日間いても感染しない人がおり、「病状」が安定しているとして、最終的に医

師に「帰宅してもいい」と言われた。「こんなに長い時間かけて、SARSではなかったのか？」とその人が尋ねると、医師は彼を外に押し出しながら、「早く帰ったほうがいいですよ。ここには治っていないSARS患者がまだいますから……」と勧めた。

「経験者」の私は決して同じ「過ち」を犯してはならない。しかし、本当に風邪による発熱なのか？ 通報しなくていいのか？ 本当に新型コロナウイルスに感染していないと言い切れるのか？

　誰でもそういう自信がないだろう。

　24、25日……、ここ数日、しばしば全身に寒気を感じた。寒気は恐ろしい。すぐに熱が出るかもしれない！ 熱が出たら声も出せなくなる！ 考えれば考えるほど恐ろしくなった。

　額に触ると少し熱いようだ。

　急いで水を飲もう！

「ぼこぼこ」とお湯が沸いた。茶碗に注いで2杯飲んだ。裸になってシャワーを浴びた。一番温度を高くして、10分間、その後さらに10分間……。全身から汗が噴き出した。さあ、これでいい。効き目があるだろう。

　身体を拭いて、ベッドにもぐりこんだ。厚い布団を掛け、さらにその上にもう1枚予備の布団を掛けた。目をつぶって、無理やり眠った。

　熟睡した。目覚めると夜明け前だった。スマホはマスク姿の新年のあいさつでいっぱいになった。

　その中の一本の情報に勇気付けられた。

　何先生へ。グッドニュースです。われわれの1号患者が本日午後、退院しました。彼女は3日連続PCR検査が陰性でした。ご自愛ください。明けましておめでとうございます。

さすが上海だ！ 1月24日、新型コロナウイルス感染者第1号が治って退院した。これは奇跡だ！ 武漢で感染症が爆発し、全国的に悲痛な思いが広がっていた中で、一筋の希望の明るい光が見えた。

　そうではないか？ このとき、武漢では確定診断の感染者が右肩上がりで上昇し、死亡例も1例1例と続き、かつさらに10人、100人の患者が相次いで死に向かっていた。これに対して、旧暦の大晦日に、上海では「1号患者」が全快して退院したのだ。

　ビッグニュースだった。春節の朝、この吉報を聞き、前夜の年越し料理以上に私を興奮させた。

　私は上海に感謝しなければならない。武漢に滞在している旅行者に比べて、ずっと幸福だったからだ。

　旧暦元旦の早朝、私はホテルのベランダから、632メートルの上海タワーに向かって、中国の伝統に従って三度お辞儀をした。

　部屋に戻って、身体が正常に戻っていることに気が付いた。もう発熱は感じなかった。

中国一の高層ビル、上海センタービル

7年前の「予言」で
私は「インフルエンサー」になった

しかし、細かい雨が降り、普段はくっきりそびえ立って見える中国一高い上海タワーもかすんでいた。

　部屋でスマホを見た。最初に目に飛び込んだ「上海コロナ」情報は……。

　上海で最初の死亡例は88歳男性。重篤な心肺腎等多臓器不全の基礎疾患があった。

　これは不測の事態であり、悪い兆候ではないか？　この高齢者は新型コロナウイルスに感染して亡くなったのではないかもしれないが、私は、まずいぞ、ついにウイルスは上海に到達していると思った。

　今年の春節はどう過ごしたかを振り返ったら、みんなはほぼ同様で、コロナはどうなっているかに注目したり、野次馬をしたりしていたことを思い浮かべるだろう。

　確かに、60年に1回の庚子の年の春節は胸が締め付けられる。武漢のために、全中国のために……。

　死者が出ると胸が詰まる。しかも、死ぬ人が自分の家族だったり、自分自身だったりとするとなおさらだ。過去の戦争で戦死した人の人数は結構多かっただろう！　少なくとも数千、数万人だった。しかし現在、われわれが最も記憶に残って心に刻むのは、死者が数百万、数千万人の革命や戦争ではない。なぜなら、今のわれわれには遠い話で実感しにくいからだ。それは国家と民族の痛みだ。

　今日、われわれが切実に痛感している感染症では子供が突然母親を失い、あるいは家族の何人かがあっという間に亡くなる。こうした悲劇は戦争中でもこれほど多くはない。しかし、武漢では今、そうした悲劇が起きている。

天は何と不公平か？　春節気分に沸き立っている今、ウイルスが襲いかかり、国の財産が「100兆元」のハードルを超えようかというときに、その夢は「ガタン」と大きな音とともに崩れ去った。

　感染症拡大はわれわれにいろいろな面で反省を迫っている。しかし、別の角度から見てはどうか？　感染症の拡大に伴って、インターネットやすべての管理体制には一時的、局部的そして本質的な混乱が生じた。コロナ禍の中で、今回の春節前後のスマホ「陣地」では実に騒ぎすぎて物見高かった。いかなる個人、普段なら見向きもされないいかなる事も、折から、億を超える人々の注目を集め、議論の的になるかもしれないからだ。これが「いい現象」なのか「悪い現象」なのか、もたらす社会的な効果次第だ。2020年3月1日、この間のインターネットの混乱現象に対して、国の関連管理部門が「インターネット生態管理」に関する新規定を打ち出し、感染症発生前の「情報」を「一掃」した。これは必要な措置だった。

　しかし、私自身が情報大爆発の最中に「インフルエンサー」になったなんて、思いも寄らなかった……。いつから始まったか知らないが、旧暦の正月2日（1月26日）、3日（1月27日）から連日、友人らの電話やメールによると、私の7年前の「予言」が話題になっていることを知った。「予言？」預言者でもないのに。この言葉が何か分からないまま耳の奥に残っていた。

「君に見せたい動画があるよ」と友人が言って、明らかに私が出ている動画を送ってくれた。同じ頃、ウィーチャットのモーメンタムには多くの次のような「ニュース」が送られてきた。「作家・何建明の7年前の『予言』が実証した」とうんぬんかんぬんと論じられているではないか。

その数日後、この「ニュース」はウィーチャットを駆け巡っただけでなく、ニュースアプリ「今日頭条（今日のトップニュース）」にも頻繁に登場した。

　何が「予言」か？ 私はネットで流されていた「何建明」とその「予言」に驚かされた。なるほど！

　これはもともと「SARS 10年」の2013年に、「鳳凰衛視」(Phoenix Television、フェニックステレビ）が私はじめ数人の専門家を取材した特集の内容だ。誰が私を引っ張り出したか知らないが、SARSの時、私が当時の呉儀副総理、劉淇、王岐山ら北京市幹部に同行して、2カ月間取材し、『北京防衛戦』を書いた。

「SARS 10年」前には原作を書きなおし、『SARS 10年祭——北京防衛戦』を出版した。「鳳凰衛視」という私の著書のタイトルが気にいられるだろう。その後は4シリーズの『SARS 10年祭』と特集を組んだ。

　言うまでもないが、私は当然彼らの取材対象の重要な一人だった。この回想式の特集で、記者は多くの質問をしたが、その中に「この種の災難、この種のウイルスは別な形でわれわれの前に現れると思いますか？」と私に尋ねた記者がいた。

　私は質問した記者がびくびくした様子で作り笑いを浮かべながら、「答えにくい質問かも知れませんが……」（彼の顔は映像に映っていないし、声は小さいがはっきり聞こえる）と言ったことをよく覚えている。その時、私は躊躇せず「『かもしれません』ではありません。当然、すべていずれある日にわれわれに影響を与えますよ」と断言した。

　これはいわゆる7年前に一人の作家のSARSが中国のわれわれの周りに再来するという「予言」だったのだ。

7年前に災難の再来を「予言」したとすれば、うさん臭くて不思議なのだろう？　かつなぜ、全中国で誰一人もこの警告を重視せず、悲劇を再演させたのか？　今の武漢は何なのか？

「何建明はすごい！」

「何建明は神だ！」

「何預言者は素晴らしい！」

　一時的に私は「神」に祭り上げられ、無数のネットユーザーによって天まで持ち上げられ、仮に墜落したら半死半生であっただろう。

　私の「予言」動画やウィーチャットには、大量の「書き込み」があった。「面識がある」、「彼の作品を読んだことがある」、「大テーマを取り上げる売れっ子作家で、玄学にも詳しい」とか、「現在、われわれにとって最も重要なのは鐘南山であるが、社会の腐った根性を反省しようという何建明も必要だ」……。これはまずい！「高炉」に突き落とされて焼け死ぬかもしれない！

　うまい具合に、数日後、もっと偉大な「予言」が出て来た。あるアカデミー会員が昨年夏、今年春からインフルエンザ型の感染症が大流行すると「予言」していたことが明らかになった。それが出て来ると、私の「7年前の預言」の値段はぐんと下がった。

　しかし、個人的には「予言」の嵐は収まらなかった。春節休暇の最初の数日、ウイルスは人々を疑心暗鬼にさせた「煩悩期」で、上海でも情報は限られ、毎日のニュースには「確認症例」、「疑似症例」、「死者数」の三つの公表数値以外、他の情報はあまりなかった。いわばどの都市にもいいニュースはなかった。これに比べて、上海では毎日ただ十数人、数十人の数値の増加ないし「死者ゼロ」の情報は特に「迫力」がなかっ

た。しかし、武漢のこの三つの数値はウナギ登りで、人々を心配と同情の感情が混然となって、窒息しそうな苦痛を感じさせた。

　表面的な世界では抑制されていたものの、内心世界では焦燥感にさいなまれていた。私は「予言」の「原点」が何だったのかを探り、一体何でこうなったか考え始めていた。実際はそれほど複雑ではなく、深い意味があるわけでもなかった。ただ、SARSを体験した人間が見聞きして頭に刻んだことはそうでない人に比べればずっと奥が深いということだ。

　SARSが終息した後、二つの現象が私の心にしっかり刻み込まれた。おそらく外部の一般の市民には理解できないことだろう。

　一つは、SARSが5月20日前後に、突然、北京から「影も形もなく消えて」しまったのだ。世間では「小湯山病院」が設立されて、ウイルスが「きれいさっぱり絶滅した」と言っていたが、これはうそ八百だった。実際、その時期、最も困難を経験し、貢献し、犠牲を払ったのは小湯山病院ではなかった。同じように、今日、武漢感染症流行の前期、中期に貢献し、犠牲を払ったのは、実は「火神山病院」、「雷神山病院」ではなく、武漢金銀潭病院、武漢中医病院や武漢共和病院、同済病院などだったのだ。SARSの時の小湯山病院はまさに今武漢に建設された「火神山病院」、「雷神山病院」と同じく、流行後期に感染の爆発的な拡大を阻止し、重篤な患者を迅速に治療する上で重要な役割を果たした。SARSのウイルスは後に人類側の「戦勝」となるが、私の見るところ、勝因の半分は人類の偉大さだが、半分は天のおかげだ。なぜかというと、5月下旬になると、北京の気候は暖かくなり、外出はTシャツ1枚になる。当時の前線取材の写真を見ると、長い時間、Tシャツだったことから、少なくても気温は25℃以上だったことが分かる。そういう時期、ウイル

スも自然に「たまらなくなって」逃げ出しただろう。初夏の気温が首都をSARSから救ったと言ってもいいだろう。

鐘南山先生は現在、「4月末勝利」に自信を持っている。4月末の武漢の気温を知っているからだろう。

「間違いなく25℃はあり、Tシャツ姿になっていますよ」と、武漢の友人が言っていた。これはSARSの時の北京と同じ現象で、「劇的な反転」が起きるだろう。

このウイルスは熱に弱く、寒さに強いのか？ そんなことはない。もし−10℃だったら、ウイルスでも走り出してわれわれを襲撃できないはずだ。過去2回のウイルス感染拡大を見ると、寒冷な東北では全く拡大せず、暑くも寒くもない広東の2、3月、北京の4、5月に流行した。理にかなっているのかを専門家に聞いてみたが、今回の新型コロナウイルスは「暑さ」も恐れないらしい。やられた。人類にひどい厄介のことが起こっている。

もう一つの奇異な現象というのは次のとおりだ。

SARSが大流行した年、北京の呼吸器系疾病の患者とSARS患者を加えた総人数は、前年2002年の北京全市の呼吸器系疾病の入院患者数と大差なかったことだ。これはどうしたわけか？

私はあの年、北京市党委の円形の会議室で開かれたSARS対策総括会議で、専門家が2002年と2003年の北京地区の呼吸器系疾病の入院患者数のグラフを示して比較していたことをよく覚えている。専門家は真剣に見比べていたが、私には良く理解できなかった。

ただ、ウイルスは「極めて狡猾」だ。今回、多くの専門家らがSARSの時と同じように「非常に狡猾だ」と言っているのを耳にする。ウイル

スは毎回、確かに「狡猾」だ。私は人類（少なくともこれだけ多数のウイルス専門家、科学アカデミーの医学会員）が新たなウイルスに出会うたびに、なぜ往々にして全く未知であり、打つ手なしなのか、と思った。

　しかし、これは私が解決できる問題でもないし、反省する問題でもない。一つの作家として、私は他の文化人、社会科学者のように、感染症爆発によって露呈したさまざまな社会問題——ヒューマニズム、道徳、倫理、公共性、社会管理の方面を含む—に注目しよう。

　文壇生活は40年余になり、数十冊の本を書き、それなりの影響力を持っているつもりだが、中には私が陰には「替え玉」があるではないかと思っている人がいるようだ。なぜなら、私の同僚は私について理解できないのは、何建明は彼らに比べて、仕事が比較的に楽なわけではないが、どうやって作品を続々と「繰り出して」いるのか？　作家同士も私に不思議だと感じるのは、毎日家で執筆する「専業作家」としての彼らに比べて、具体的な仕事があり、中国作家協会で働いている私の作品はなんと彼らより少なくなく、影響力が劣るわけでもない。そこで、私の執筆活動に疑念を抱く人がいるのかもしれない。この本の最初の方に正直に書いたように、私が書いた作品の大半は、春節、メーデー、国慶節などの長期休暇を利用して書いたもので、普段の週末および平日の夜も心が落ち着ける執筆のグッドタイミングだ。

　2020年の春節は特殊で、新型コロナウイルスに乱されたが、毎日、休まず執筆を続けた。

　春節当日、コロナに乱された感情から抜け出すために、特に構えて、上海高等法院（高等裁判所）が紹介してくれた「妻殺害死体冷凍事件」を書いた。これは、「80年後」の容疑者の朱某が結婚半年の妻を口論の

末、残忍な手段で殺害し、事前に用意してあった大型冷凍庫に105日間も隠していた事件で、上海を震撼させた出来事だった。不思議だったのは、容疑者が事件後、審理中に、年齢と犯罪行為に相応しない冷静さと法律無視で、裁判官と心理的、専門的な勝負を展開していた。

　現在、大衆はわれわれ作家に対してさまざまな不満を抱く。実際に、それは現代文学および作家が「真実の話」を語るのか否か、そうできるのか否か、という能力と姿勢に関わりがあるのだ。

「新華社通信」が戦「疫」時期に、　篇の素晴らしい社説を発表した。「真実を語っても、天が崩れ落ちることはない」という見出しだった。次のように続く。「勇敢な発言」は非常に貴重だ。真実を語るには「千万人と雖も吾往かん」の信念がなければならず、権威に対する迷信を持たず、ただ真実のみを信頼し、大声で激励し、人民にために助命嘆願を忘れない心意気がなければならない。実際、感染症が爆発的に拡大するたびに、長期にわたって存在してきた悪習が暴露される。例えば、SARSの時には昔から食べていたハクビシンが腸に害を与え、命に関わることを知るようになった。一度、また一度、貪欲にゲテモノ食いをするたびに、ひどい被害が起きても、誰がこの陋習、悪習、不良行為を心に銘記したか？

　感染症による災難に限らず、その他の社会分野も同じ道理だ。例えば、天津大爆発事故で私は数カ月の取材、調査の後、次のような結論に達した。こうした災難の主要な原因は人為的な要素であり、管理の幾重ものたるみ——彼は君が担当だと言う、君は彼の仕事だと言う、最終的にはみんなに責任がある。しかし、まさに「みんなに責任がある」と言った結果、誰も責任を取ろうとしない。こうした不正常が重なり、循環し、

重なり、災害や事故が発生するのではないか？

　5年前の天津大爆発事故を覚えている人は何人いるだろう？　もし現場に行ったか、あるいはこの災害を経験していれば、忘れられるか？　わたしはあり得ないと思う。しかし、多くの人が必ずすでにこの世界を震撼させた大爆発事故をきれいさっぱり忘れていると思っている。その原因は以下の二つだ。一つは、「関連部門」―特に事故に関連する地域ではこの事故を話題にしたがらない。おそらく彼らの何らかの神経に触るのだろう。いまいましいのは、私のような作家が事故当初にその重要な意義を持つ現場実録作品の『爆発現場』を書いた前後、わけのわからない非難を浴びたことだ。最初は天津を「やり手」の市長、市党委代理書記の黄興国の手を変え品を変え嫌がらせと難癖だった。当時、私の作品は出版に先立って、『人民文学』に内容の一部が発表された。2016年の元日直後に、『人民文学』が公式アカウントに『爆発現場』の関連情報と目次を掲載した後、ある日、施戦軍編集長から非常に緊張した電話があり、天津作家協会（作協）と文学芸術連合会（文連）の人が雑誌社に行って、私の作品の「いわれ」を問いただし、掲載撤回を申し出た、と告げた。「何を根拠にしている？」「彼らにそんな資格があるのか？」と私は施戦軍にかまうことはないと言った。その時、私は携帯の番号を変えたばかりで、天津方面の友人は私に連絡できなかったため、その後、施戦軍は再度緊張して電話で、「何主席の原稿に何か問題があるでしょうか、天津政法委の人間が雑誌を持って行き、態度はすさまじかった」と言う。大変だ！　当時、私は全く不安がないわけではなかった。その時、この仕業は黄興国個人の悪だくみだとはまだ知らず、彼が「上司」にとがめられて、それで黄興国が私にその怒りをぶつけてきたかと心配した。

いずれにしても、天津から5人が北京にやって来て、私と「抗争」したがった。しかし、後にどうしたわけか、その続きがなくなった——私はまだ彼らの出方を待っていて、勝負をしようとするのに。その後、私の作品の出版、宣伝などの『爆発現場』に関連のあることに、ことごとく「見えざる手」がひっかきまわしていることに気が付いた。例えば、天津武警総隊が開催する図書贈呈式イベントが突然キャンセルになった。また、天津の関連作品討論会も勧告によって中止になった。さらに大爆発1周年に私がすでに準備してあった詩歌朗詠会も「中止」が命じられた。これには頭に来た！

　黄興国は私が取材、執筆した『爆破現場』は国務院天津爆発事故調査チームの命を受け、公安部消防局の直接支援の下で行った任務だったことを知らなかった。こうした「有力なバック」がいるさえ、依然としてしばしば「見えざる手」の邪魔が入るのであれば、もし私が個人的な立場で取材し、執筆していたら、どんなことになっていたのだろうか？数カ月後、黄興国が党中央規律検査委員会によって、汚職関連の違反取り調べを受けたというニュースを見た。後に、誰も私を非難しなくなったが、『爆発現場』はさまざまの状況で「見えざる手」が背後でうごめいており、公正な待遇は一貫して受けていない。

　この間の事情は今でもよくわからない。人民文学出版社が出版する本であり、国務院事故調査チームのトップと専門家が原稿をチェックしたにもかかわらず、なんとこうした不公平な待遇を受けた。そういったところを見ると、真実を知り、真実を書くのは容易ではないことが想像できる。天は落ちてこないが、天が落ちるかもしれないと恐れる人や部門はあり、屋上に落ちてくるいささかな石灰さえ恐れるほどだ。

天津大爆発事故は巨大な経済損失を生み、1000人の命が奪われた。こうした深刻な人災に対してさえ何も反省せず、骨身に刻み込まず、まだ他の記憶するに値することがあるのか？ 数十年さまざまなことを見てきたが、それも見過ぎたほどだが、日常生活において犯すべきではない過ちと教訓を社会的に銘記しておくべきだという希望を、怒りを込めて話しているが、それは困難なことだと感じている。

　『爆発現場』を通じて、私がわれわれの社会に対して何を話したいか、お読みいただきたい。

### 『爆発現場』　生命の壮麗を賛美し、生命を叩き潰す罪業を鞭打つ

　　戦争と屠殺の現場は血まみれだ。しかし、天津大爆発現場は血まみれにとどまらなかった。そこは血まみれの現場に比べて、もっと震撼させ、もっと驚愕させた！ 血まみれの一体の死体を見れば、まだ生命の特性を持っている。しかし、一体の白骨を見ると、それが一個の生命だったとは認識できず、生命を剝離した魂魄であり、幽霊であり、身の毛がよだつ。

　　天津大爆発事故の現場で見ることができたのはこれらだった。当然、コンテナとかクルマなどの完全に変形した鉄骨もあったが、それらに生命はなかった。現場で唯一生命を持っていたのは人であり、消防隊員であった。火は消防隊員の肉体と渡り合った結果、残したのは白骨と燃えがらだけで、恐ろしい光景だった。これだけ光景を見られる人はあまりいない。私は捜索隊員が撮影したビデオでこの光景を見た唯一の作家であり、今まで、辛くも生き延びた消防隊員を取材した唯一の作家であ

る。したがって、私は極めて貴重な大爆発事故のもう一つの現場——感情現場——の数多くの「シーン」をもらった。

　私は天津大爆発事故の現場を知っているただ一人の作家であり、現場の苦痛を「身近に感じた」一人でもある。長い間何度も考えた。この悲惨な爆発現場の事実がもたらす強烈な感情を世界に明らかにすべきか？　自己の内面の思想闘争の結果、書くべきだと決意した。

「そうすべきだ」という決意から、この『爆発現場』を出版した。これは数十年書いてきたノンフィクション作品の中で私自身の内心を最も刺激した作品であり、その内容の震撼力と苦痛度はかつてのいかなる作品——四川大地震、北京SARS等の事件をテーマにした作品を含む——をはるかに凌駕している。しかも、この作品を書いていた時、2015年のノーベル文学賞がベラルーシの女流作家、スヴェトラーナ・アレクサンドロヴナ・アレクシエーヴィッチに授与された。彼女もノンフィクション作家で、主な作品はソ連時代のチェルノブイリ発電所の放射性物質漏えい事故による災害を反映している。中国語の翻訳で彼女の作品を読んだとき、正直に言うと、私は失望し慰められた。失望したのは、彼女の作品がさほどではなかったことであり、慰められたのは、われわれは彼女よりもいい作品を書けると思ったからである。私は『爆発現場』を彼女の作品と比べようとは思わないが、自分の作品が代替できない「現場震撼力」を備え、他のフィクション、ノンフィクションまがいの作品が到達できない境地に達していると自負している。

ルポルタージュ(あるいはノンフィクションとも言う）は「現場」の経験と正確な描写がなければ独特で超然とした芸術的魅力は決して備わらず、上っ面をなぞっただけの偽の現場も強烈な芸術的な震撼力は持ち得ない。しかし、無感動で、敏感さに欠け、生活と情感の精華を味わえない人に、そういた「現場」でも相変わらず「一般性」の中に埋没されてしまう。客観的な「現場」はあり触れ、まずくて、しおれるないし単一的なことさえある。豊かで、精彩に富み、立体的で、鮮やかで艶がある「現場」は、作者の嗅覚、視覚や情感の透徹性に富む探求、模索を通じて見つかるものだ。時には消防隊員と同じように、生命の危険を冒しても実践し、戦わなければならない。

『爆発現場』は「生命の危険を冒して実践と戦闘」して書いた作品である。なぜなら、私は可能な限り爆発現場に赴いた。その時には硝煙も爆発音もなかったが、あの巨大な穴の前にたたずむと、爆発の火炎と爆風がどのように人の心を揺さぶったか、強烈に感じた。多数の消防隊員のように親密な戦友が瞬時に犠牲になった情景を想像することはできなかったが、ICUで治療を受けている負傷者のやけどの傷跡をさすったとき、心に痛みが走った。「中秋節」、「国慶節」、「クリスマス」や週末に天津消防隊員と爆発現場で一緒に話し、「8.12」夜、瞬間的に起きたことを回想してもらった。

　熱い涙、冷たい涙が私の眼頭（め がしら）にあふれ、犠牲になった戦友、障害が残る戦友の面影が常に夢に現れ、話したり、笑い合ったりし、しかし、それにもまして、多くの場合は私に向かって訴

え、泣き、叫ぶ──「われわれは若いのになんでこの世を去らなければならないのか？ 親しい人々、妻から去らなければならないのか？ 誰の罪か？」

　これは最も痛切で最も重たい吶喊であり、追及である。これがずっと爆発現場の上空を徘徊し、こだましている。これこそが「現場」なのだ！ これは消し去れない生命の現場であり、一人の作家が意識し模索した生命に関する別の存在や問いだ。おそらく、私に次のように疑問がやって来るだろう。大爆発は悲劇だったが、なんで消防隊員の犠牲をこれほど壮麗に描くのか？ 実際、消防隊員の生命はそもそも壮麗だが、私が爆発現場の壮麗な命を描いたのは、こうした生命を無情にも鞭打つ罪業のためである。彼らは誰か？ 天はこれを知り、人はこれを知り、良心がこれを知り、法律がこれを知っている。

　公安部消防局と戦友（彼らの多くとはかつて同じ警察学校に勤務）に感謝しなければならない。天津消防隊員と天津港公安局の皆さんの積極的な協力に感謝しなければならない。彼らのおかげで、私は「爆発現場」に行くことができた。また、私が最も感謝したいのは、爆発を潜り抜けた第一線の消防隊員であり、生存している人、犠牲になった人を問わず、彼らは生の材料を私に提供してくれ、これが貴重な部分となった。それは私をしばしば眠りに就かせなかった。経験したなら、その惨状と死の恐怖を想像しないではいられない……。

　現在、中国の災害は数多く、その多くは人為的であり、しかもその様式と被害程度はしばしばわれわれの想像を超える。例

えば、『爆発現場』を完成したばかりで、また深圳大崩壊事故が発生した。たとえ近頃は大事故のニュースがなくても、家の周りの空気には常にスモッグが立ち込め、窒息しそうになり、死んだ方がましだというほどである。多くの人がなぜ今の生活はますます困難になったかと嘆いている。

　一体どうして？　私も問いたい。

　私は問いたいのは、天津大爆発のような大事故はまた起きるのか？　確かめられるのは、再発の可能性は高くはないが、もう一つの確かめられるのことは、類似するまたは異なる形態の「大爆発」は随時発生する可能性がある。

　これはなぜ？　われわれは真面目に考え、目覚めなければならない。

——2015年歳末記

　正義心を持つ人は『爆発現場』と私が書いた前述の「反省」的な文章を読んだら、決してこうした社会に対する警告を非難しない。

　しかし、現実は難しいだ。時に、真実を言っても誰も聞かず、覚えてもいないのではないだろうか？

　SARSのとき、私は感染のプロセスに現れた奇怪な現象をかなりよく知っていたので、『SARS 10年祭』に次のような序文を書いた。


　　2003年春の中国北京は恐怖の都市、疫病の都市、死に直面する都市であり、当時北京にいた人々はみんな私と同じ受け止め方をしていたに違いない。当時、世界は間もなく滅亡し、人

類も徹底的に絶滅すると感じたものだ。毎日、窒息しそうな空気の中で生活し、この隠れるところのない古都に暮らし、自分がもたらした恐怖の天地の間で日々を送っていた。

　10年が過ぎたのは本当に速い。10年前のことは昨日のことのように――まるで本の１ページをめくるように。

　10年が過ぎたのは本当に速い。10年前のことも数世紀前のことのように――まるできれいさっぱり忘れ去ったように。

　悲惨のイメージは決して滅びない大山のように、永遠にこの星の上にそびえている。悲惨のイメージも雲のように、欲望に満ちた人の心からあっという間に消えていく。

　しかし、私はこう思う。人類が経験したいかなる苦難もすべて宝であり、それを記憶すること自体が財産であり、これを忘却してしまうことは悲劇である。

　10年前の2003年、数多くの記憶は今思い出してもおかしく感じる。

　例えば、一人のどこから北京に来たか分からない病人は咳がひどく、北京の病院に逃げ込んだ。その後死亡した。彼女の死亡検案からはいかなる記録された病歴や病原も見つからなかった。訳の分からないうちに、数人、数十人の彼女と接触したことのある人が同じような病原がはっきりしない病気で倒れ、あるいは同じように死亡した。恐ろしいことが同時に出現した。全病院、全機関、全街道、北京市全体が恐怖に包まれ始め、無数の元気だった人が名称不明の肺炎――後に重症急性呼吸器

症候群（SARS）と呼ぶ——に襲われた。初めて聞く奇怪な名前に文学者は「非常に典型的な病気」と理解し、庶民は「疫病」と言った。実際、これはまさしく疫病だ——感染すれば、生き長らえることができないだ！

　さらに、数え切れない奇怪なおかしなことが起きた。就任間もない若い北京市長は突如出現した感染症拡大を処置に窮した——実際、彼はいかに巨大な災難に直面しているか、この災難がこの古都に何をもたらすのか、全く分からず——「隠ぺい」の手段を取った。たとえこうした事態は社会ではよくあることにしても、感染症はあまりにも突然であり、あまりにも巨大で、人類の生命、都市の命運に対する影響があまりにも大きかった。その若い市長は慌てて、辞職せざるを得ず、海南省から来た新市長が就任した。その後10年の間に、辞職した若い市長は一貫して不遇だったが、しばらくして転身した。一方、当時の新市長は幸運に恵まれ、業績も挙げた。彼たちは孟学農と王岐山だ。

　奇怪でおかしなことが次々と起きた。例えば、当時北京市内では「殺し合い」が頻発した。例えば、家族の中に風邪をひいて咳をする人がいるとすると、隣人に玄関に消毒液をかけられ、中にはガソリンをかけて火を付け、こん棒でたたき、鉄の扉を閉じられることさえあった。その目的は疫病神を追い払うためだった。

　当時の北京人が「史上最悪の屈辱」を受けた。北京を出たが、外地にも行けなかった。こっそり出たのであれば、追い掛けられ「殺される」可能性があった。どこか外地に着いても、発見されると、うまくいけば追い立てられるが、下手をすると捕ま

えられる。聞いた話だが、ある北京人が職場のやむをえない事情で外地に行った。ところが、「北京から来たやつがいる」と、まるまる10日余りも追いかけられた。誰も彼を受け入れてくれず、もちろん泊めてもくれず、食べ物もくれず、車にも乗せてくれない。その結果、二本の脚を頼って歩いて北京に戻った。13日ぶりに戻ったところ、職場には誰もいなかった。家族も彼が誰か分からなかった——もう野人のような身なりで、誰も彼を見分けられなかった。

　実際、こうしたことはまだしも、北京と接している河北省廊坊の道路で、誰かが突然、ショベルカーで深さ20メートル、幅30メートルの巨大な穴を掘った。「北京から来る車を入れないためだ」と言った。すべての車はここでUターンしなければならなくなった。

　また、ある村は、それまで農村レストランを開業し、北京の人たちからしこたま儲けた農民たちが、今度は感染した北京人が田舎に避難して来るのを恐れて、全力でたった3日の間に、村の四方を囲う高さ3メートル、長さ数キロに及ぶ塀を作り、村を完全に包囲した。出入り口は2カ所だけで、そこには番人が立ち、包丁や鉄棒で武装し、見知らぬ人間が入って来ると捕まえて小屋に閉じ込めた。北京の人間だったら、四の五の言わずに追い返した。

　面白いことが次から次と起きた！　いや、決して面白い事なんかではなかった。実際、恐怖が覆っている中で面白くないこと、とりわけ悲惨な出来事、永久に北京人の心に残る痛恨事が

起きた。ある人が次のように話していた。当時、もし、北京で人肉を食べたらSARSを防げるという話が広まったら、北京中で史上前例のない大殺戮が起きたかもしれない。そのとおりだ。当時、この目で確かめ、あるいは観察した惨状とその中にいた人々の異常精神から言って、そうしたことが起きる可能性がある。幸運なことに、市当局の効果的な措置もあり、北京市民は基本的に覚醒し、理性を失わなかった。

　当時、私と同僚だけが感染地区に入ることができ、防疫指揮の核心メンバーに取材できる条件が整っていた。私は2カ月近い取材で、数十本のテープに録音し、長編を書く準備をしていたが、後にこれを放棄した。その理由は、取材を深めれば深めるほど、書くわけにはいかない、書けない、書けば「さんざんな目に遭う」と感じた。なぜか？ SARS関して多くの事が今になってもまるで明らかになっていない。一体全体、SARSとは何だったのか？ なぜ、患者とちょっと接触しただけで死亡した人もいるし、SARS患者と同じ病室に数十日いても何でもない人もいるか？ 例えば、対策本部が後にまとめたデータは不思議だった。2002年（つまりSARS発生の前年）、春に北京市内の病院が受け入れた呼吸器系疾患の総人数は2003年のSARS爆発時の呼吸器系患者（SARS患者を含む）の総人数と大きな変化がなかった。つまり、実際、われわれが認めたくないが、結局SARSとは何だったのか、われわれは何も分からない。あるいは知っていることはいかにも少な過ぎるということだ。

　10年は短い。短くてあっという間に過ぎてしまう。

10年は長い。長くて全部思い出すことはできない。2003年のSARSは別な世紀の出来事のようだ。北京人はあの理性を失わせた災難を忘れ去り、中にはきれいさっぱり忘れ去った人さえいる。

　SARSが北京と中国に何をもたらしたのか、心の底から考えたことはない。中国人は自らの強盛に向かって奮闘、努力し、停滞したり、小休止したりする時間があっても顧みない。実際、これは恐ろしいことである。時にそれはSARSそのものの恐怖よりも恐ろしいことだと私が思う。苦難と災難を教訓にしない民族は非常に危険であり、別の苦難や災難に滅ぼされてしまうからだ。

　その後、北京にはSARSのような大災難は発生せず、この10年の間に、ますます美しくなり、ますます巨大になり、ますます現代化している半面、実際には、そうした美しさ、巨大さ、現代化のコートの下で、ますますぜい弱になり、ますます小さくなり、ますます遅れていることに気が付くかもしれない。

　ちょっとした雪で身動きができなくなり、ちょっとした交通事故で全市がマヒ状態になり、経験したことのない大雨、経験したことのない大気汚染でも然りだ。この2000万余りの人口を擁する大都会での生活はその偉大さと光栄を感じられる半面、いつしか、どんなリスクが降りかかって来るか分からないのだ。

　科学的発展観の提起もSARS災難後の英明な政策だったが、別の問題提起を真剣に考えるべきではないか？　例えば、北京のような急速に発展している大都会では、管理システム、災害

予防能力、市民の自衛意識、災害に対する資金投入、将来に発生するかもしれない災害に対する防災対策を含めて、市長はじめ管理者がこうした点にどれだけ精力を注いでいるか？　もしそうしていれば、10年前のSARS発生は警鐘であり、啓示だった。もしそうしていなければ、10年のSARSは滅亡の前奏曲だったのかもしれない。苦難と死は早晩攻撃してくる——見てろ。記憶を持ち合わせない人々よ！

——2013年春　追記

　これは7年前に書いた文章だ。多くの読者、友人が今回の戦「疫」中にネットでこの文章を流し、私の「予言」がいかに正確だったか、なぜこうした警世の言葉に耳を傾けなかったかとコメントしていた。もし、「上層部の一部」がこの話を聞いたとすれば、新型コロナウイルスは武漢のような大きな災害にはならないかもしれない！
　多くのネット民が伝言板で以下のように指摘している。

「7年前の問題だが、なぜ今いまだに繰り返しているのか？」
「歴史とは反省するためであり、忘れさせるためではない。今回、早く敵を消滅させなかったことで、これを教訓とし、勇気をもう一度かき集め、前進しなければならない！」
「反省を実現し、将来の災害に備えなければならない。かつ迅速な対応と物質的な保障を完備し、反転攻勢して勝てる現実を形成しなければならない。さもないと、災害は災害の理由があり、災害は災害の結果があり、災害は必ず再発するに違いない。現実も歴史も忘却しがちだ……」

武漢が新型コロナで混乱していたとき、私自身7年前に書いたこの鋭い文章を再読して、まるで炎天下にアイスクリームを食べたような気分になった。爽やかだ！

　さて、武漢の新型コロナが、湖北省の周辺地域へ蔓延、氾濫したとき、一つの重要な要素に気が付いた。それら一つまた一つの拡大していく大型、中型都市の管理水準、災害予防能力、資金投入、住民の自衛意識などの災害認識について、実は非常に低い。ほとんど「ゼロ水準」の都市もあるのだ！　これは凄く大変ではないか！　そうなら、私が7年前に警告した「それでは、10年前のSARSのような災難が再びやって来れば、われわれは滅亡を免れない」という状況が出現しないのは不可能だ。「見てろ、もの覚えの悪い人たちよ！」──この警世の言葉は鮮血を帯びた叫びだった。

　実際にやって来たではないか。2020年になると、武漢はじめ中国の多くの都市で感染症がはんらんし、無辜の民が次々に病魔に命を奪われ、国民および本来、平静であるべき世界はパニックに陥った。

　私は決して「予知」したわけではないし、決して「予言者」でもなくて、心の中に何がしかの良心があるだけだ。7年前にこうしたアピールあるいは吶喊が出たのは、私自身が北京にいて、各地を取材し、急速に発展する我が国にさまざまな「成り金風」が吹いているのを目撃していたからだ。それがますます強まり、一見強大に見えても実際は「水太り」に過ぎない。また財布に金が入っていても最も大切なところで使うということが分かっていない。蓄財する方法と理念は足りていても、災難を避ける危機意識が欠如している。国民の資質は低下し、自己満足ばかりが膨らんでいる……。

われわれは努力した結果やっと豊かになったが、それを一撃で瞬時に失うかもしれない。こうした憂慮ゆえに、私は依然として沈黙していくわけにはいかない。だからこそ、燃えるような激しい追及と「予言」があったのだ。

　こうした「激烈な」追求はしばしば「極端だ」と誤解されるが、武漢の感染症爆発を非難する声の中で、古典的な「予言」として奉られたのは全くの想定外だった。

「インフルエンサー」とされた数日間、私は内心緊張していた。現実生活において、こうした役目はいい結末を迎えないものだからだ。さまざまな教訓と経験から見ると、さっさと「引退」しなけれなならない、遠さければ遠さけるほどいい！

　しかし、今、そんなことができるだろうか？ 今回の新型コロナウイルスはSARSよりも猛烈にわれわれ中華民族に襲いかかっている。しかも、周辺地域または遠隔地にある一部のずっと中国を滅ぼそうとする国はすでにどう猛な笑いが響いているようだ。

コロナ禍の最中の超高層ビル

本当の話をしなければならない

沈黙していられるだろうか？　一つまた一つと無知と醜悪、無能と無為、脅威と危険が眼前に現れているのに見て見ぬ振りができるだろうか？　それは不可能だ！　いや絶対にそうすべきではない！

　黄浦江の逆巻く大波が、私の胸の中に迫って来るように感じた。感染拡大の中で、誰一人がちょっとしたミスをしたばかりに、公衆の面前で殴られたり、町中を引き回されたりする。高齢者が一生かかって貯めたお金を患者や医師に寄付すると逆に嘲笑される。ある幹部が緊張してちょっと言い間違っただけで、ネット上で袋だたきにされる。ある専門家が鐘南山先生ほど的確にウイルスの正体を把握できなかったばかりに、先祖まで引っ張り出されて非難される……。こんな恐ろしいことが起きている。コロナ禍爆発の中心地、ネット上で、あっという間に汚れた波が広がっている。人間性、人心の醜悪な面が赤裸々に残さず暴露されている。

　こうしたことが中国で起きていいのだろうか？　愛する祖国で起きていいのだろうか？　これが改革開放*40年でたどりついた到達した世界なのだろうか？　違う！　絶対にそんなことがあってはならない。

　その日、私は再び一人で黄浦江のほとりを歩いた。美しい濱江大道には人っ子一人いなかったが、私は顔をなでる熱風を感じ、勇気がわき上がってきた。

　私は再び叫び声を上げてアピールしよう。無知で理性を失った「コロナ狂人」に向かって、彼らの発想、手法がウイルスや感染症よりも人を傷つけ、わが国のイメージ、民族性を腐食し、悪化させていることに対して、SARSのときと同じように断固として、合理的な言い方で攻撃し導かなければならない。そこで私は以下のような最初の「意見」を述べることにした。

※編集部注：中華人民共和国の元最高指導者の鄧小平の指導体制の下で、1978年開始された中国国内体制の改革および対外開放政策のこと。

## 災害時は冷静に人間性の善悪に向き合わなければならない

　SARSとSARSに対する阻止活動の現場を体験し、2カ月にわたって取材したことがある者として、最初から振り返ってみると、事態の進展は「正常の範囲内」だったと思う。

　その1　感染者数は連日激増していた。実際は、広東人がSARSを北京に持ち込んでからの北京の各医療機関の情景は、現在、武漢で見られている情景と基本的には同様であり、当初は無秩序、混乱、噂話、買占め、全体的な恐怖心、さらに際限なく恨みが広まり、小湯山病院などが建設され始めると次第に落ち着いてきた。当時、私が直接的、間接的に聞いた「内情」では、「天」が北京に「救いの手」を伸べてくれるというもので、なぜなら、5、6月になると気温がどんどん上がり、高温を嫌うウイルスは自然に「消滅」し始めるという話だった——信じられないかもしれないが、個人的に、それは「千軍万馬」の救急チームの効果に比べて大きいとは思えなかった——したがって、次のような仮説は成立するだろう。今回の武漢の新型コロナウイルスの発生が2カ月遅ければ、現在のように拡大が速く、抑制対策が思うに任せない状態にはなり得なかったはずだ。当然のことながら、「運を天に任せる」わけにはいかず、でも、人類と感染症との戦いは、全員総出の努力の他、ある程度は確かに時間および運に任さざるを得ないこともある。今回の感染症が続いている現状を見ると、中央の統一的な指揮によって、積極的な対策が行われ、混乱を避けなければならない。理性的に

苦難を受け入れることが、人類の生存と発展にとって、精神的な支えの一つだと認識しなければならない。

　その2　物資不足、医療従事者不足と一般大衆の防護問題は当時もあった。ただ、前回の感染症は主に広東と北京の二つの地域で拡大し、感染経路が明白なので、制御可能な範囲だった。それに対し、今回は武漢と湖北省の感染拡大を迅速に制御すべきだけでなく、全国的に拡散して蔓延する可能性もあるから、防疫対策はより厳しい局面だ。前回は、全国の総力を広東、北京に支援を投入したが、今回は武漢、湖北に支援を結集する他、各地も「自衛」しなければならないために、全国的に医療従事者と医療物資が不足している。また、春節休暇中のため、労働力、輸送力も問題になっている。したがって、医療従事者と医療物資の不足は中国にとどまらず、世界的に逼迫し始めている。中国の人口が世界人口の4分の1を占めているから、中国で物資や医療資源が不足すると、全世界でも危機に陥るのではないか？

　その3　人間性の美しさ、醜さは同時に爆発する。SARSのときに見た一切の現象が、今回はすべて繰り返されているようだ。以前友人たちと話し合ったことだが、SARSが最も緊張していたパニック時期、もしも、人肉を食べたり、あるいは泥を食べたりすれば、SARSを防ぐことができて、死ななくて済むという噂が流れると、中には気が狂ってそうする人が出てくるかもしれない。当時、北京人を殴り、北京人を帰宅させず、北京人を憎悪し、嫌悪する雰囲気が世間に充満したが、それは現

在の武漢人、湖北人が受けている「待遇」に似ているものだった。これが人間性の本能的な反応であり、また文明社会に入った民族が改善しなければならない重要な側面だ。

　そこで、今回のさまざまな情況に直面して、感染対策を重視すると同時に、こうした現象に過敏になるべきではなく、人間性の優劣、良し悪しを過大に見るべきではない。人間性の善良な部分に注目して、事実に基づいて讃え、決して誇張すべきではない。ある時、ある事で間違っても、あるいは失敗したとしても、追及し過ぎてはならず、理性的に処理しなければならない。誰しも生死の問題に直面すれば、怒らず、驚かず、慌てず、欲張らず、恐れず、間違わずにはいられないのではないか？ 専門家、医師を含め、もちろん一般大衆も。それこそ中華民族の品格であり、国が永続する筋骨があるところではないだろうか。

「よく言った！」
「タイムリーな言及だ！」
「根拠があり、道理があり、ハイレベルの指摘だ！」

　ネット上にこの短文を流すと、上海の友人を含む多くの友人が返信をくれて、同時に「今日頭条（今日のトップニュース）」などのメディアにも転載された。私のウィーチャットにも膨大なコメントが書き込まれ、上述の観点に賛成の意見が圧倒的多数だった。
　しかし、決して楽観してはならない！ 感染症が拡大している時期には、いかなる声も微弱で、すぐに消えてしまう。鐘南山の天を揺るがす大鐘

の音のような発言だけが、天下にこだまするのかもしれない。そうでなければ、海鳴りのように次から次へかき消されていく。

　たとえそうだとしても、善意で正確なことを発言するのであれば、もしかして多くの人を目覚めさせたり揺り動かしたりするかもしれない、あるいは迷っている人を救うかもしれない。当然だが、過ったことを話し、人を傷つける話をし、間違った道案内をするならば、災難の上に災難を与えるようなもので、万死に値する。普段から「大口をたたき」、「大物ぶって話す人」は、こうしたとき逆に発言しなくなった。おらくその理由は二つある。

　一つは、一旦みんなが大勢でしゃべり始めると、自分の話は価値がないものになるのを彼らが分かったからだ。

　もう一つは、彼らはずる賢い人間で、あるいは風を伺う者だから、今は馬を牛に乗り換えるつもりかもしれない。こうした連中は感染症が洗い流された後、誰からも相手にされないのは間違いない。

　しかし、自分は「真実」を語る正義の士だと思っていても、最後までそのままの姿勢で立っていられるだろうか？ 誰も知らない。さらに言えば、感染症が流行っている非常時に、一度「インフルエンサー」になったからといって、歴史に名を残したと考えるのは笑い草だというのは言うまでもない。この時期の「インフルエンサー」には2種類がある。一つは流れに便乗して、騒ぎ立てる「大口たたき」であり、もう一つは周りから迫られて「大口」を開いた人たち——鐘南山、張文宏らだ。「インフルエンサー」の中には天空に永遠に輝き続ける「北斗星」になるかもしれない人々——鐘南山、張文宏、李蘭娟ら——がいるし、流星のように、一瞬のうちに消えてしまうものもある。私は後者に属している。

「塀のある牢」と「塀のない牢」

1月26日、旧暦の新年2日。朝起きると北京は大雪で「雪片がガチョウの羽毛のように降りしきり、見たこともないほどの大雪」だと知った。

　本当に不思議なことだ。北京は四十数年、大雪が降らず、天気予報で待ちに待った雪の予報が出ても、最終的には「騙された」ものだった。郊外はさておき、市内では基本的に雪は見掛けなかった。

　2020年はどうもおかしい。新暦の元旦前には二度の雪が降り、春節前後に雪がもう何度降ったか、おそらく北京人自身も数え切れないほど覚えていないだろう。

　苦渋に満ち、憂鬱な旧暦元日を送った後、翌日北京で大雪が降り、黄浦江岸は冷たい雨が降っているのだから、26日朝、目が覚めると特にうっとうしい気持ちだった。とても老友、老戦友に新年のあいさつをする気分ではなかった。新型コロナウイルスに振り回され、何が「新年おめでとう」だ？

　そこで、李商隠の詩が口をついて出てきた。「れむべし半夜虚しく席を前め、蒼生を問わずして鬼神を問うを」。いや、違うだ。国難で民が災難に見舞われている時にこそ、苦悩に満ちた顔をするわけにはいかないだろう！

　そこで、パソコンに向かってキーボードをたたき、次のように「大言壮語」してみた。


　　お前は四方八方に横行しているが、
　　俺は心静かに原稿を書く。
　　お前は気ままに振舞っているが、
　　俺はキーボード上を闊歩する。

お前は無情極まりないが、
　　俺は激情で胸が張り裂けそうだ。
　　お前は結局くたばるが、
　　俺は笑って未来を迎える。

　打ち終えて、再読して、思わず笑ってしまった。この諧謔詩には一種
の精神勝利法的な趣がにじみ出ている。笑いの種として、何人かの大物
の友人に送ると、みんな「いいね！」を打ち返してきた。でも、分かっ
たよ。実際、彼らは私を励ましながら、自分たち自身も励ましているだ
ろう。コロナ禍の中国では、みんなが今日、明日は何が起きるか分から
ない気がするからだ。笑うなかれ。誇張しているように見えるが、武漢
で多くの人が病院に行っても受け入れられず、帰るに帰られない患者が
家族と絶望的に号泣している様子を見聞きすると、笑顔でいられるはず
はない。これが2020年春節前後の新型コロナウイルスが私に残した記
憶であり、一人ひとりの中国人の心に焼き付けられている。その痛みは
耐えがたい。
　正月2日になって、突然、身の回りの環境が異常に息苦しくなってい
ることに気が付いた。「牢に入れられた」ような感覚だった。誰かに足
かせをはめられたわけではないし、私が泊っているホテルの部屋の広さ
が変わったわけでもない。ホテル従業員がいつものようにその時間に掃
除に来たが、彼女はマスクを着用し、お互いに近づかないようにし、お
しゃべりもしなかった。彼女が掃除している場所から、急いで離れ、別
な場所へ。別に気まずい思いをしていたわけではないが、おそらく本能
的な反応だったのだろう。

階下のレストランに朝食を食べに行って、誰もいないことに気がついた。残っていた従業員は全員マスクをしている。一瞬、場所を間違えたか ── 病院に来たかと思った。どこか似ていた。何とも摩訶不思議な気分だった。朝食を食べても胸がつかえるようだった。翌日、翌々日、同じレストランにいた背筋をぴんと伸ばした欧米人のマネージャーや美人のフランス人のスタッフの姿は見当たらなかった。聞いてみると、全員帰国したそうだ。残っている中国人は「ステイホーム」なのだろう！

　中国人は確かに偉い。「在宅」（ステイホーム）の号令で、１４億人が─大都市であれ、辺鄙な郷村であれ─ただちに、「自宅」で待機した。他国の事情とは異なり、中国ではかなりうまくいったが、容易なことではなかった。

　みんなが「お宅」になった。作家という職業は本来的に「在宅」状態だろう。しかし、全国民が「在宅」とは……。さぞかし全く慣れていないだろう。しかも今回の「在宅」は徹底され、長時間に及ぶ。

　庚子の年の春節前後のほぼ１カ月間は、14億人近い人々が「整列行進」を行なった。世界文明史上、これは極めて珍しいことだけでなく、いわば歴史に前例もないだろう。これはやむを得ないことだった。そうしなければ、新型コロナウイルスは何人もの中国人の命を奪い、素晴らしい未来に別れを告げることになる。考えるまでもないことだ。

　自分のため、家族のため、また国家と民族の生存、さらに世界の明日のために、中国人は政府の指示に従って、「在宅（違反者は厳罰）」を徹底したが、これは何とも悲惨なことだった。

　子供たちは登校できず、高齢者は散歩に出かけられず、現役世代は出勤できず、さらにデート、パーティーなどにも行けず、食料品や薬品な

ど生活必需品を扱う商店が営業している以外、その他は一律閉店した。空を飛ぶもの、地面を転がるもの、水上を行くものも一律に停止した。どのように行動すればいいのか？

これは戦争だ。総力戦であり、阻止戦だ。さらに言えば戦「疫」中だ。戦争は無情、残酷なものだ。人と人との戦争。国と国との戦争と違って、これは平和な時代の人類とウイルスとの目に見えない残酷な戦争だ。敵は見えない場所に潜み、われわれが呼吸している間にも、キスをしたり抱き合ったりしている間にも、あるいは全く知らない人と肩が触れ合っただけで……。

触れることも見ることもできない場所に、ちょっと気を許した行為の間に、すでにわれわれの家族の中の誰かに潜入しているかもしれない。敵は非常に狡猾であり、瞬時に死に至らせるかもしれない。あるいは全く知らないうちに、突然、襲ってくるかもしれない。10日、半月、20日余りも過ぎてから、あなたに向かって攻撃を仕掛けることさえある──その結果、死に至るかもしれない。

憎い！ 手を付けられないほど憎たらしい。

こうしたことが原因で、武漢で新型コロナウイルス感染症が爆発した後の春節休暇は、すべての街がウイルスに飲み込まれ、恐怖のどん底、恐慌のるつぼにたたき込まれた。誰一人も「ここには感染者はいるはずがない」と胸をたたくことはできず、誰も「ここの防御は鉄壁でいかなる漏れもなかった」と言うことはできず、また「外部と接触した人を全部フォースアウトにさせる」と言うこともできなかった。そうして、どうしていいか分からないときに、中央からすべての中国人はできる限り「在宅」し、家から出ないようにと指示され、とりわけ都市部では徹底

しなければならなかった。後に分かったことだが、武漢のように感染拡大が深刻だった地域では、「宅」をさらに小分けして、一人ずつ「在宅」する空間を作った。

全世界でこれほどの動員はなかっただろうし、こうした「国家行動」に歩調を合わせる国もないだろう。

14億人の国が「一糸乱れず」に「在宅」に入ったことは確かに容易なことではなかった。しかも最大級に容易ではなかった。

私はホテルに滞在していたし、どの家庭で過ごしたこともないので、上海の「在宅」がどんなものだったか知らないが、わずか数十平方メートルの家に三世代が数日、十数日、さらに1カ月余りもカタツムリのような生活をしたらどんな状況になり、どんな心境になっただろう。想像もできない。今回のコロナ禍によって、離婚準備中だった多くのカップルが仲を取り戻したという話を聞いたが、笑い話のようだが、確かにその可能性はある。もともと、みんな忙しく、多くの人々の気持は外部世界に引っ張り回されているが、夫婦が「在宅」し、四六時中顔を合わせ、同じものを食べ、一つのソファに座り、コロナのニュースを見て、一つのベッドでスマホの笑い話を見ていれば、次第に「仲直り」するのは当然だろう。

「何年もまともに私を見てくれなかったわね。一緒に家にいると、私うれしいわ……」と妻がニコニコ甘える。

「そうだね。今は時間があるからゆっくり化粧できるし……。そういえば昔と変わらないな。若いね……」と夫が言う。

「歯の浮くようなお世辞言っちゃって。」

「今でもえくぼがかわいいよ！」

夫婦の愛情はこうして復活して、「在宅」には幸福な空気があふれていた。

　子供たちも大喜びだ。パソコンで遊び夜更かししても、朝5時、6時に親にたたき起されることもなく、眠たいだけ眠り、親は冗談で、「明日は午後4時まで眠る？」

　アハハ……！

　家庭の和やかな声が空っぽな街に『家庭交響曲』のように響き渡っている。

　しかし、これはほんの「一部」に過ぎない。実際に、「在宅」ではこれほどうまくはいかず、非常に困難なことも起きている。

　2020年春節前後の長い時間、こうしたどうしようもなく、憂うつな、抑圧的な、もっと言えば苦痛で、煩悩と怒りに満ちた「在宅」生活を送った。

「在宅」で焦り、「在宅」で気落ちし、「在宅」で心の中が燃え上がり、憂いがあふれた。

　さもなければ、「作家」とは言えないだろう。われわれ作家から言えば、2カ月程度の「在宅」は少しも無駄な時間ではなく、春節休暇はその前の数十回の春節と変わらない。「在宅」でキー正直に言うと、「在宅」というものは作家にとってあり触れたことだ。ボードをたたいていた。しかし、キーボードをたたく他、やはり休憩ならびに気分転換したり体を動かしたりする時間も必要だ。私のような病気がちの人間にとって、長時間の「在宅」はたいしたことではなくても苦痛だ。今年のコロナ禍の春節「在宅」で、全中国人が──恐怖も何も感じない一部の人を除く──悶絶したほどの苦痛を感じているに違いない。

上海で「在宅」は本来幸せなはずだ。この美しい都会の一つ一つ瞬間の陽光や月光を存分に満喫し、街頭を行きかうお洒落な娘たちと元気はつらつたる男の子たちを眺め、ウインドーショッピングを楽しむ年配の生っ粋の上海女性の微笑を鑑賞し……。バンドで恋している若いカップルは手を繋いで、ロマンチックな空気を惜しげもなくふりまいている。南京路でロシア娘は新疆の若者と見つめ合い、韓国娘が上海の大学生たちと談笑している声はまるで路面電車の警笛のようだ。最も自然で、最も壮麗で、最もゴージャスなのは黄浦江を行き来するフェリーだろう。中国で最も美しい東方の大都会の幸福感と快感を満載している。

　バンドの対岸は、世界で一番華麗な浦東陸家嘴金融街で、林立する超高層ビル群に圧倒され、めまいを覚える。とりわけ、『浦東史詩』を書いた私は、昔この土地で偉大な開拓事業に奮闘した人々が表した特質こそ上海精神であり、上海人気質であり、それが上海人の昨日と将来を通じる輝きであることを知っている。「上海」の二字は実際に動詞だと思う。それは海に対して怖れと好奇心を抱いたわれわれの祖先がそこから孕んだ夢と理想を紡いだ後で生まれた行動だった。彼らは故郷の岸から上海を眺め、「あそこへ行こうか！ 魚を採ったり、もっと広い土地を開墾したりしよう」と思いを巡らした。われわれの祖先はここの海浜へ向かって来て、まず漁民が住みつき、さらに他の人々が小屋を建て、家を建て砂丘を開墾し、種をまき、木を植えた。その後、小漁村になり、市街になり、さらに一気に東方の大港湾になり、中国第一の大都会になった。

　これが上海なのだ。「（中国語で）上海＝海へ行く」。さながら私の母親が料理をすることを「上灶（かまどに行く）」と言い、街に行くことを「上街」と言うように、これは私の「上海」に対する解釈であり、わ

が祖先の偉大な大都市に対する解釈でもある。

　誰もこの「歴史に書かれていない」事実をめぐって私と議論しない。わが家の祖先のように大昔、この土地を耕し、冒険に明け暮れていた人がいるはずはないからだ。それで、本質的に私は上海人であり、私の体内を流れている血は昨今の上海人よりもずっと純粋なのだ。

　この点に関して、私は自慢する。

　だからこそ上海に対する思い入れはより深い。

　その気持ちが強ければ強いほど、一度つらい境地に陥ると人よりもっと落ち込み、自分では抜け出せなくなる。

　コロナの流行は、私にしばしばこの私の命と骨肉に繋がっている大都市に向かって、涙にくれさせた。

　林立する超高層ビル、普段は一種の道具として見られているに過ぎない。仕事のため、住むため、物を置くため、さらに言えば、財力、能力を誇示する場所として、ある種のシンボルと見られる。

　超高層ビルは人類の生活と幸福のある種の欲求にしか過ぎず、あるいは単に都市の必需品なのかもしれない。多忙で前へ前へと突き進んでいる現代人の目に、それは「私の高層ビル」や「私の財産」としか映っていないかもしれない。

　しかし、現在、上海のあらゆる高層ビルから、人々はみんな逃げ出し、残っているのは空っぽになったビルの躯体と鉄骨だけだ。

　風が吹いている。雨が降っている。それでも高層ビルは以前の日常と少しも変わらない様子で同じ場所に立っている。しかし、私が思うに、コロナ禍の中で、そういった高層ビルは別な役柄に変わった——この都会の最も孤独な存在である。過去の毎日、心にさまざまな理想を秘めて

いてそこを通り過ぎて、笑い合ったり、けんかしたり、言い争ったり、色々語り合ったりする男女は、もう姿が消えた。高層ビル群は上海の尊厳を独り守り、国家存続の尊厳を守り、毅然とした姿勢で、2400万市民のウイルスの毒牙と厳冬の風雪に対する戦いを支援している。ビル群はいつも通りに灯火が明るく灯っていて、大上海の凛とした品位と風格を現している。しかも常に「中国頑張れ」、「武漢頑張れ」、「上海頑張れ」などのネオンサインを通して、人々を励まし、「在宅」のわれわれは決して孤独ではなく、元気を出さなくてはいけないと、決意を新たにさせてくれている。

　超高層ビル群はすでに冷たいセメントと鉄骨ではなく、大地に足を踏ん張り、天にそびえる巨人であり、われわれと同じように血肉を持ち、2400万市民以外の「上海人」になった。

　こう思うたびに、ホテルの部屋のカーテンを開け、彼らを凝視する。長い時間見つめていると、涙が止まらなくなった。

　街路について話そう。彼らは単に人々が移動する乗り物を載せ、二本の脚の踏み場だけではなく、黙々と喜んで、多くの人々に踏みつけられ、往来する車輪の重圧にさらされているが、苦しいとも疲れたとも言わず、汗を流し、油を流し、顔がゆがむように真冬の冷たい風に耐えている。

　上海の街路はにぎわいと込み合いの間の矛盾を解決するために、さらに多くの商店と住民が住む路地裏との連携を図るために、子供たちの笑い声が途絶えないために、現代的な都市の輝きのために、拡張に拡張を重ねてきた。

　昔、上海の街路は中国人を蔑視し奴隷扱いした「毛唐」のはき捨てたたんやつばに汚されたことがあり、労働運動の隊列の勇壮、堂々とした

行進に踏まれたことがあり、そして、中国共産党人士がここで事業を築き始め、一度荘厳な『インターナショナル*』が響きわたり、『街路の天使』の朗らかで苦渋に満ちた歌声も聞こえた……。

　上海の街路は中国が工業化、現代化を通じて、未来世界へ向かう光明に満ちた道である。それは中国の他都市に比べて、さらに大きな責任と使命を載せている。必然的な担当精神、貢献精神を備え、さらに多くの創新能力、プレッシャーに抗する能力が必要だ。成功した時に世界中の客を迎えるだけではなく、嵐の中でも平然としていなければならない。

　これが上海の街路だ。ところが、コロナ禍の今日、ここは未曾有の冷たさ、孤独、凋落、孤立無援な日々を送っている。一人の捨て子が瞬時にかつての大勢の人の温もりを失ったように、紙に塗りつぶされた一幅の絵画のように、何の生気もなく、何の動感もなく、さらに街路としての役割を果たした後の反応もない。もう失血した死体のように、地面に横たわり、その表情は切なくて物悲しい。

　ああ、上海の街路よ！ お前は生まれた日から、これほど見捨てられたことはないだろう。現在、お前はすでに往時のようにぼろぼろとあちこちに穴があき、行く人に嫌われるものではなく、今のお前は行き交う人々を明るく照らし、絵のように美しく、平坦で、四通八達しているが、このウイルスが発する戦いによって、お前は貶められ、無視され、人々の心象世界の遥か遠いところに置き去りにされ、落ち葉だけがたまたま飛ぶ鳥とともにお前に寄り添うだけだ。

　これほど凄然とし、これほど不思議なことがあるだろうか。以下は今、私の眼前で起きていたことだ。

　ある日、特殊な状況下の上海街路にちょっと触ってみるために、私は

---

＊編集部注：フランス語 でL'Internationaleである。社会主義、共産主義を代表する曲である。日本でも労働歌として歌われていた。

二本の脚で踏みだし、街路の痛いところを踏みつけないように気を付けて、そっと歩き出した。本来、人が歩く場所であり、毎日無数の人がここを歩き、無数の車輪が転がっていく街路が、現在は私一人の前にだだっ広く、長々と横たわり、そこを一人で歩いて行くと、二本の脚がこれほど無力で、これほど慎重で、これほど弱々しく、これほどふらふらするとは……。ああ、100メートルも歩いていないと思った。その100メートルの距離が1000キロの未知の天嶮、見知らぬ荒野のように、歩くのが苦痛で、困難だった！

　これはなぜか？「なぜだ──？」と大声で叫びたがったが、喉がふさがり、綿がひっついているように乾き、声が出なかった。

「これは牢獄だ！」

「牢獄に入れられている！」

「街路を勝手に歩けないんだ！」

　Uターンしてその100メートルを戻る途中で、一人の警察官に停められ、身分証明書を見せるように言われた。持っていないと言って、ホテルのルームカードを見せた。「帰ってください。外をうろうろしていると誰が患者か分かりません。あなたの鼻に吸い込まれる風でどんなことになるか分かりませんよ。部屋でじっとしていてください！」マスクをした警察官は、早く街路から離れろと言わんばかりに手を振った。

　こうして私は、家族を見失った迷子のように、街路を離れたが、目の前の道がどこに向かっているのかさえ分からなかった。

　振り返ってみた。長々とだだっ広く、四通八達の街路には人影も車も見えなかった。また涙が流れた。

　ショッピングモールと商店について話そう。上海のショッピングモー

ルと商店は上海の女性のように風情があり、色っぽくて魅力的である。上海にこうした中国と西洋のファッションと文化が融合したショッピングモールと商店がなければ、上海は味もそっけもないセメントと鋼鉄の構造しかなく、少しも面白くなかっただろう。独自のショッピングモールと商店があるので、上海の建築物にはさまざまな変化があり、バンドにおける万国の風情が溢れた建物群には多彩な様式の、独自のショッピングモールと商店が並び、全世界のさまざまな時代の風格の異なる建築があり、合わせて中国の伝統的な江南文化が加わり、「東方不敗の上海」が出来上がった。

　上海のショッピングモールと商店と言えば、かつては「十里洋上」や映画『レッドダスト』といったイメージを思い浮かべたかもしれない。

　ショッピングモールと商店ができるに伴って、その周辺に次第に住民と住民が交流する公園や土地の神様の祠もあった……。したがって、商業化、商品経済化とともに、上海もだんだんと市井化し通俗化してきた。

　上海のショッピングモールと商店は「改革開放」後、構造的に巨大な変化が起きた。昔、天地の一方を占め、唯我独尊的だった伝統的なショッピングモールと商店は、超高層ビルに圧倒され、もう一つの独自な景観を作り出した ── 建物の裾にあったり、超高層ビルの高層階にあったり、地下鉄駅の中にあったり、また、コミュニティの共同娯楽施設と「比翼連理」だったり……。それらはもう単独の存在ではなく、多くの人々が仕事、家庭以外で出掛ける最も重要な場所になっている。若い人たちの多くは一日三度の食事をこの中で取り、高齢者の多くはスーパーをぶらぶら歩くのを「日課」になっている。たとえ結婚して家族を持つ人でも、ここが持つ豊富多彩な誘惑から抜け出せるだろうか？

つまり、ショッピングモールと商店は今では生活と人生に最も身近な場所の一つであり、その豊富多彩は生活と人生の豊富多彩そのものなのである。

　しかし現在、本来すべての逸品ぞろいで、人を魅了してやまなかった店には人影はなく、全部シャッターを下ろし、ひっそり静まり返り、死の世界を思わせ、近づくと、恐怖感にさいなまれる。

　私は何度か一人でそういった過去訪れたことがあるショッピングモールに寄ったが、そこをちらっと見る勇気さえなかった。それら羨望させ、限りなく人の心を魅惑したファッションの店は一切閉店しており、ガラス窓から覗くと、マネキンたちはハイブランド品をまとっていたが、「鬼気」しか感じられなかった。少しも魅力的に見えなかった。それよりも何かぞっとさせる感じだった。

　一体どんな力が働いて、この膨大な天地を変えてしまったのだろう？どんな力が働いて、以前は元気はつらつとしていた場所を墓地のように気味悪い場所にしたのだろうか？

　不思議なことだ！　私は何度かこうしたショッピングモールや店を見に行ったが、中を見ることさえせず、まっすぐ急ぎ足で通り過ぎ、かなり離れてから振り返って見て、心の中で南無阿弥陀仏と唱えた。

　コロナ禍に対する恐怖は実際、ウイルスそのものに対する恐怖だけではなく、生活環境の恐ろしさなのである。

　巨大な大都会、繁華な大都会、生気に満ちた大都会、毎日付きあっている大都会から突然、人が消え、車が消え、ショッピングモールの喧騒も消え、こうした事態は心理的にストレスを与え、視覚を刺激し、ウイルスの攻撃よりも肉体対するダメージが少ないとは言えない。

2400万人の大都会で、毎日どれほどの食料が必要なのか？　生活ごみはどれだけ出るのか？　水と電気の使用量は？　私は知らないが、想像はできる。仮に一人当たり1本のミネラルウオーターを飲むとして、2400万人余本の空き缶は小山ができるのでないか？　まして、私のように1日少なくとも4、5本飲まなければ生きていけない人間もいる。1日に食べる食料が一人たり1キロだとして、2400万人掛ける1キロはどれほどだろう？　もう計算できない。その量を運ぶのに何台のトラックが必要か？　そのごみもほぼ同じ量だとして、誰がどこへ運ぶのか？

　こうした問題を考えると、上海市長は実に大変だ！　本当に大変！

　現在、上海はまさしくこうした状況だ。しかも、市民の正常な生活に少しも影響を与えないように、たとえ「在宅」で家に閉じこもり、買い物に行くな、出勤するな、病院に行くな、銀行にも行くなからといって、依然として通常どおりに自分のお金を使ったり、病院に行ったり、朝刊、夕刊を読んだりできる。上海の大市長が「やっていられない」はもちろん、上海における一つ一つの世帯の長もは大変だ。特にコロナが猖獗（しょうけつ）をきわめた時は、各地間の交通が遮断され、往来が制限され、みんなわが身が危険だと感じ、2400万人余の大都市の「長」どころか、親子3人の世帯主であっても頭が真っ白になったに違いない。

　上海ではいかなるサプライチェーンも途切れず、市民の生活は以前と変わらず、人々を安心させた。当然、問題もあった。自分自身にかかわる問題だった。

　旧正月3日、近くのスーパーに行ったことを覚えている。部屋の「備蓄」がなくなったからだ。私が宿泊しているホテルも宿泊客が少なくなり、残っている人の間に不安があった。たとえ上海で報じられている患

者は多いとは言えず、疑似患者で200、300人に過ぎなくても、心理的に、あなたが「感染者」かもしれない、「敵」から身を守らなければならいという気が抜けない、それが潜在的な「敵」であっても……。そこで、マスクを着用していても、人と人との間を空けなければならない——このご時世の中に、人々は互いに「敵同士」の関係にするのは全然おかしくない——ある程度、これも感染を防止することに積極的な役割を果たした。

　ホテルの客が少なくなったし、かつ感染防止のために、朝食は従来どおりにレストランで食べられたが、昼食と夕食は自分で解決しなければならなくなった。食料を買いだめしておくために、スーパーにいかなければならなかった。

　初めて行ったスーパーは10時開店。そこで私は開店と同時に「突撃」することにした。そうすれば感染するリスクは少ないからだ。この一幕は今思い出しても大笑いだ。戦場でする時のように、まず何を買うか考えておき、店に入ったら目標物に照準を合わせ、全速で突進し、躊躇することなく、品物をあれこれ選んだりせず、もちろん値段はお構いなし。棚の商品をつかんで、レジに急ぐ。途中で客に出くわしたら、遠回りして、またレジへ急ぐ。

　これを最短時間で済ませば、店に入ってから10分で終わる計算だった。

　結果的には、重いレジ袋を抱えて、地下の食品売り場から地上に出て、がら空きの道路に出て、スマホを引っ張り出してみると、10時11分30秒になっていた。

　ありゃ、これでも1分遅れた。もう一度考えてみた。レジで2分遅れたのだと計算したら納得した。

深呼吸しながら、心の中で笑いが止まらなかった。

　「手元に食料があれば安心だ！」ホテルに戻って「牢獄」暮らしの続きが始まった。実際、「牢獄」暮らしが簡単ではないことが分かった。24時間部屋に閉じこもっているのが苦痛なことは言うまでもない。ただわれわれ作家にとって逆にこれはたいした問題ではない。原稿を書くなど、やることがいっぱいあるからだ。しかし、1日3回の食事が面倒だった。家にいれば、家人が用意してくれるものを食べればよいからだ。今は自分でやらなければならなくなって、確かに少し困っていた。例えば、スーパーで買ってきた食料の中には2日過ぎると食べられないものがあり、血糖値が高い私には不適当な食べ物もあることに気が付いた。最終的に、レジ袋に買って帰ったすべてのものの中、枝豆が腹は膨れるし、栄養もあり、血糖値も上げないので、私に合っていることが分かった。そこで、枝豆を主要な備蓄食料に決定した！

　旧暦正月4日（1月28日）、またあのスーパーに出かけた。今度は事前に時間内「任務達成」をきっちりもくろんだ。もう「目標は明確に」、「任務をしっかり把握」だからだ。──これは軍隊当時身に付けた常識であり、他には「行動は迅速に」、「撤収はただちに」も徹底しなければならない！

　ハハハ、果たして結果は？　10時ジャストにスーパーのシャッターが上がるとただちに突入し、新鮮な野菜の棚に直行。スーパーの従業員が商品を並べたばかりだった。私の狙いの枝豆は棚に並んでいた。いいぞ！きちんと袋詰めされて整列している「枝豆陣営」は他の野菜に比べると、かなり多い。私は数も数えず、左右10本の指ですべての枝豆の袋のへりを抑え、両手で一つにかき集めた。棚は空っぽになった。枝豆を満載したショッピングカートを押して、棚を離れようとしたところ、商品を

点検していた従業員がこの一幕をじっと見ていて、びっくりした様子で立ち尽くしている。彼の目に現れていた感情をはっきり読み取ることができた。……何てこった。このおっさん、おかしいんじゃないか！ 一度にこれほど大量の枝豆を買って行こうというのか？ 全部食べるつもりか？

　彼の表情を見て笑い出しそうになった。50歳くらいのこの従業員はこうした「勇猛」、「果敢」、「容赦ない」買い物客を見たことがなかったのだろう！

　アハハ……ハハ……。今でも、この情景を思い出すたびに、涙が出てくるほど笑いがこみあげる。

　何度も言っているように、「在宅」という「牢獄」暮らしが10日でも、20日でも、3カ月になったとしても私は絶対に大丈夫だが、この笑い話を「抑え込む」ことはどうしてもできない。

「わしら上海人の皆さん」、大目に見てください。

私を泣かせる黄浦江

人の一生には命というものがあり、各人各様に異なる言い方をする。私は命を信じているが、ものすごく信じているというわけではない。人の「命」が寿命の「命」であることからすれば、かなりの程度、両親の遺伝子がその後の世代を決定する。科学者は決定された後の世代の寿命の要素の中で、遺伝子が80％を占め、後天的な要素は20％に過ぎず、各人の寿命が後天的に決まる要素はごく少ないことが分かる。「命」は一種の運命であり、社会環境の影響も受けるものだ。

　私の見方はこうだ。つまり、人は一生の間に、神様が決めた「ルール」から「逃れる」ことは出来ない。これはほとんど唯心主義のようだ。しかし、これは古来「暗黙の了解」としてきた言い方だ。これを私はある程度信じている。例えば、私と上海の関係がそうだ。

　私の祖先は数代にわたって上海に寄り添い、最終的に西洋人の鉄鋼船などによって追い出された。私の世代は蘇州人だと思っている。上海人の言い方をすれば「田舎者」であり、上海とは縁もゆかりもないが、特に後に北京で仕事をすることになり、上海と再び縁ができるとはまるで考えていなかった。

　しかし、目の前に突然発生した「事件」が、こうした表面的な不可能を一変させた。しかも、私と上海との縁はますますしっかりからみつき、断ち切れないようになってきた。

　私が『浦東史詩』の中で書いた、私と上海や黄浦江との「恋愛史」は、実際にはわれわれの世代が歩んできた人生、われわれが経てきた農耕社会から現代都市化社会への変化の過程を代表している。

　これが、われわれの時代の縁に喜び、感謝しなければならない理由だ。

　上海について私が考える、現在の気持ちはこうだ。

ここ二年、私は上海人の誰よりも黄浦江に密着し、毎日、心から抱擁し、すでに私の体内を流れる血液と一緒で、黄浦江が流れると同じように流れ、激情に湧き上がると同じように湧き上がる。これには理由がないわけではなく、その理由は深く刻まれ、唯我独尊なのだ。

　1997年5月17日、当時のフランス大統領、ジャック・シラクが初めて上海を訪問し、完成したばかりのトムソンインターコンチネンタルホテルに宿泊した。当時の浦東はまさに建設ラッシュだった。浦東から東を見れば、繁栄を象徴する景色が見え、毎日のように新しい超高層ビルが立ち上がっていた。振り返って浦西の旧上海を見ると、こちら側にも大きな変化が起き、新たな息吹が感じられた。ロマンチストのシラク大統領は、上海にすっかり魅了され、次のように語った。

「ここで中国人民と世界人民に向かって演説したい。なぜならここは太陽が昇る場所だからだ。」

　そのとおりなのだ。この街はどこから見ても称賛に値する。とりわけ、改革開放して数十年の間に、上海は異彩を放つ中国でも最も現代的な都会に成長した。疑う余地なく最もロマンチックで、最も愛されている街だ。多くの人がそう思っている。私もそうだ。

　思い返すと、偶然にも私の一生はずっと「上海」の二字から離れられない。小学校の担任教師は、王琴芬という若くてきれいな上海女性だった。中学生のときには、上海出身の夏佳珍という名の女性教師だった（同級生はこっそり「夏ばあちゃん」というあだ名を付けていた。実際には50歳ぐらいだったが）。高校の担任は張偉江先生。彼はその後、上海市教委主任になった。私が中国作家協会で仕事をしていた当時は、上海市党委宣伝部長の金炳華が直属上司および作家協会党組織書記だった。

さらに私の女房の実家は松江泗泾鎮である。これで上海との縁を完全に断ち切れると言えるだろうか?

　私は『浦東史詩』の中で常識上の誤りを一つ是正した。それは黄浦江が上海の「母なる河」ではなく、蘇州河こそが正真正銘の「母なる河」だということだ。上海の淵源の歴史を知ると、旧呉国人のこのような言い方に対しては決して疑うことがない。それでは、黄浦江は何なのか? 私の見方は、あるいは、私が黄浦江の形成とそれが呈した本質と内在的意義、ならびにこの「東方のパリ」と称される街の影響を知った後、私は突然、黄浦江は元来、「愛情の河」だと思う――千年の思いに悩む浦東と浦西の間を尽きない恋慕の情をたたえて流れる「愛情の河」。私が浦東と浦西をこのように例えるにはわけがある。

　民間に紛れ込んで久しい一人の王女と寵愛されている王子がいた。彼らは歴史的な理由で数百年も別れ別れだったが、改革開放、浦東の開発開放によって、元に戻り、再び身近な存在になった。これこそが、われわれが今見ている、数え切れない美しい橋と数え切れないトンネルで「一家」に結ばれた新上海だ。

　そうだ。私はこの「発見」が気に入っている。文化的な、将来的な視角から言って、黄浦江は上海の「愛情の河」なのだ。激しい世の中の変遷、曲折を経た形成史、発展史を重ね、激情とロマンにあふれ、西洋臭さが濃厚な東方の大都会を流れる「愛情の河」だ。だからこそ、黄浦江を子細に観察し、味わうと、雄渾、熾烈な流れの壮大な美と、急流の中に涙を誘う凄艶、慷慨な施しを与える気概があることを発見するだろう。もちろん、この河は偉大な都会の中を流れる大河として、両岸住民の生計に責任を持ち、全中華民族のための工業生産や上海派文化、江南文化、

紅色（革命）文化の唯美的な面で責任がある。だからこそ、黄浦江は私の目に、世界で最もロマンチックな情緒に満ち、民族精神を高揚させ、地域性を浮き立たせる愛情の河に見える。

　上海で過ごしている今、黄浦江に身を寄せていたいと思い、河から最も近いホテルに泊まり、河を見るたびに心の底から一種の安寧、一種の激情、一種の抱きたい感覚、心臓がドキッとする感覚が沸き上がってくる。

　いわゆる「上善水のごとし」。この種の黄浦江に対する愛は、私が水を好み、大河を好むことに由来し、私自身が水中で生まれ育ってきたからだ――江南の生活が私の生命に刻印されていることだろう。

　しかも上海という都会自体も同じだ――それは水が育んだ社会生命体なのである。遥か6000年余り前、上海は海水の中から顔を出したり、顔を隠したりしていた、文字どおり「海から上がろうとしていた」胎児だった。当時、浦東と浦西は、渾然一体、不可分で、幼馴染みの仲だった。水が仲立ちし、水が取り持ち、二人は力を合わせて、この土地の最も原始的な「初心」と美徳を培った。

　後に、「上海」と上海人は6000年余りの時間を掛けて、こうした「初心」と本土の性質を何層にも積み重ね、「上海の味わい」を練り上げ、それが今日まで続いている。骨の髄にしみ込んでいる強靭、勇敢、果断、開放、透明、寛大、英知、滑らかさであり、全部水に関係がある。

　水は一切の物を磨き、一切のものを生み出すことができる。水は万物の生死を支配し、水は自ずと物質の高貴、下賤を決める。水は都市の浮沈に作用し、その街の人の水に対する態度によって決まる。私の祖先たちがこの土地に小さな漁村を作ったのは水に対する期待と尊敬からであり、その後継者たちは、水の性質と気質を熟知し、水の能力を存分に利

用し、「東方の大港湾」を建設した。さらにその後に来た上海人は、もっと水をうまく利用し、四方八方から来る客を「わしら上海人」に変えてきた。水を友とし、水で友になり、水で交友を広げ、水によって蘇州人、寧波人、紹興人、安徽人を少しずつ呼び寄せ、一緒に「わしら上海人」というようになった。当然、遠大な理想主義者らは上海の水によって、中国で最も必要だった精神——マルクス主義とロシア革命——の経験を「運搬」してきて、この街を「平民」から王者に変えた。

　ああ、水よ、上海の水よ、黄浦江を日夜沸き立たせ、何回もの引き潮と満ち潮を経ても止まらない精神は、金色のバンドを作り、蘇州河のエデンの園、龍華寺の祭壇、および南京路のショッピング街や路地裏からかすかに聞こえる二胡の抑揚のある音色を築いた。

　もちろん、黄浦江には他と違う特徴がある。

　海水の塩分と江南の湖、渓谷から流れて来た淡水の甘みが混じり合い、柔らかで、清らかな、輝きを運び、知恵と新鮮さを醸し出している。その独特な人を迷わせる魅力が、埠頭を開放して以来、西洋人を遥か極東の上海まで冒険に来させた理由であろう。もちろん、黄浦江の水が世界的に有名になったのは、改革開放後のことである。夕暮れ時に遊覧船に乗り、十六舗から東へ向かって楊浦大橋方向へ遊覧すると、両岸の上海の夜景を心行くまで鑑賞でき、陶酔感に浸り、誰しもこれ以上に美しい桃源郷があろうかと思うに違いない。

　確かに多くはない。ニューヨーク、ロンドンに行き、さらにライン川、ナイル川などを見てから、上海に来ると、きっとこう思うだろう。どこに行く必要があるだろう。世界で最も美しい場所は身近にあるではないか！ 東方に誇り高く輝いている。

これこそが私が黄浦江を愛している理由だ。当然、もう一つの私の生命における特別な理由がある。なぜなら、そのせいで、私は死線を超えて生き延びたからだ。その話はそれほど大昔ではない、わずか半世紀ほど前のことだ。

　その時期は「文革（無産階級文化大革命）」と呼ばれていた。打倒される側の「走資派（資本主義の道を歩む実権派）」とみなされていた父は、当時、重労働に明け暮れる農民になり、子供の私を連れて上海に来た最初の仕事は「肥料詰め」だった。当時、浙江一帯の多くの農村では、上海にある各種の化学工場、食品工場から排出される「加工かす」を肥料にしていた。それで、上海周辺の郷村には「船で上海に行って肥料を詰める」という栄光に満ちた任務があった。

　ある夏の日、走資派に転落した父がこの任務を与えられたとき、夏休み中だった小学生の子供を遊びに連れて行こうと考えた。7、8歳だった子供は、文字どおり欣喜雀躍だった。当時、上海に遊びに行くというのは、今で言えば、ニューヨークやパリに行くのに似て、興奮させる出来事だった。

　ロープで引かれる小さな木造船に乗って上海に行くとき、幼少の私は岸辺まで密集して建っている超高層ビル、車であふれかえっている街道、およびスカート、ハイヒールを履いているお洒落な女の子たちに目がくらんだ。そこで唯一面白くないと感じたのは、蘇州河が臭く、水が真っ黒で、潮位の差が大きく、小船を岸と同じ高さまで持ち上げたかと思うと、ふっと船底が川底にぶつかり音がするほど水位が下がったこともあったことだ。子供の私は最初にこの潮位の落差にびっくりし、何度も涙を流し、声も出なかった。しかし、もっと驚くことがあった。翌日、ま

だ「アンモニア水」を詰めていない小舟は、黄浦江に向かった。父たちの任務は十六舗の化学工場でアンモニア水——実際は加工かす——を詰めることだった。小船にはエンジンがなく、全員が手漕ぎして、一人が船首に立って竹竿で進む方向を示した。7月の黄浦江は潮の干満の時、流れが速く、うなり声が耳に絶えず飛び込んで来た。父たちが漕ぐ小舟は荒れ狂う川面を木の葉のように翻弄され、自分たちでは制御不能だった。船倉にもぐり込み、小さい頭を半分だけ出していた私は、恐ろしさを忘れて、好奇心いっぱいで目を見開き、黄浦江を行き来する巨大な船やまるで整列しているように並んだ高層ビルを見つめていた。後で、父はあれがバンドだと教えてくれた。

　われわれが乗った小舟は、黄浦江に入ると完全に制御不能になった。とりわけ、大型船が意気揚々とそばを通り過ぎると、巻き起こる大波を受け止められず、波間をのたうちまわった。「水が入って来たぞ、水だ！」父や他の船乗りの叫び声が聞こえたのとほぼ同時に、眼前に巨大な「水の壁」が轟音とともに襲いかかり、そこから感覚がなくなった。気がつくと私は父たちと一緒に干潟に横たわっているのが分かった。裸になった父が着ていたシャツを絞って、私の小さな身体に掛けてくれていた。父が「驚いたか？」と聞いた。私はそれに答えず、うなずきもせず、急流が東に流れる黄浦江と対岸のにぎやかなバンドをじっと見つめていた。暫くしてから、すっかり元気を失った私は父に聞いた。「このでっかい河は何ていうの？」父は「河じゃないよ。江だ。黄浦江だ。」

　このとき以来、黄浦江を知り、上海には急流で川幅が広く、大海に向かう大きな川があることを心に刻みつけた。

　後に学校を出た私は軍隊に入った。部隊は湖南湘西の山の中に駐屯し

ていたが、里帰りの時間があるときには、毎年、列車で上海に行き、そこで乗り換えて故郷に行った。上海での乗り換え時間には必ずバンドへ行き、私を死ぬ目に合わせた黄浦江を見た。当時、黄浦江は私にとって、特に大きく、特に人の心を揺さぶる存在だった。さまざまな汽笛を鳴らし、行き来する大小の船は、いつまで見ていても飽きなかった。後に、北京で仕事をしていた頃も、しばしば上海に来たが、若い頃の習慣で必ずバンドへ行き、異常なほど恋している黄浦江に会いに行った。年々、上海に関する知識が深まり、水から生まれ水に生き、水に寄り添い興り、水とともに繁栄しているこの街を理解し、この街が育んできた包容力、卓越した追求心、開明的な英知と穏やかさを兼ね備えた独特の精神が分かってきた。こういう都市を創造した奇跡の要素は、この滔滔と流れる黄浦江に帰結するという気持ちを禁じ得ない。

　私はずっとそう信じている。その身近に数百キロに及ぶ蘇州河があり、一瀉千里の長江があり、さらに目と鼻の先に、広大無辺の東シナ海がある。黄浦江はこうした「水兄弟」の間で、自らの「遺伝子」と性格を生み、育んできたので、引き潮のときにに吐き出される水は、永遠に澄んだ淡水で、水草の匂いさえある。これはまさしく江南軟水だ。泰伯や言子ら先人の魂、さらに深山幽谷（しんざんゆうこく）、江河塘浜（こうがたんぱん）で育まれた平和と安寧を帯び、生き生きとした蘇浙地域の伝統文化の潤いやあでやかさも運んでいる。その味わいは上海の大道小道にとどまらず、路地裏（そせつ）に流れ込み、各家庭のかまどに届き、チーパオで踊る女性の化粧にさえ生かされている。満潮時の黄浦江の水は遥か彼方の大海から沸き起こり、塩分を巻き込み、取り込む。このときの黄浦江の水は、豪快さ、勇猛さとロマン──好男子の特質を備えている。これこそ私が心の底から黄浦江が好きな理由の

一つだ。堂々たる姿勢、俊敏なる行動力、高邁なる知恵をすべて兼ね備えているからだ。そうした気質が満潮時に血流に流れ込み、引き潮の時は肉体的にリラックスさせ、勇猛果敢に前進する姿勢と不屈の強靭性を永遠に保ち続けさせてくれる。

　私のように自分の力で世間を渡っている庶民は、こうした黄浦江の性格が特に気に入り、「上海」の二字の精神とぴったり合っている。上海のいろいろな風景の中で私が特に黄浦江に惚れ込んでいるのもそうした理由からだ。

　2017年の清明節（4月5日、先祖のお墓参り）から『浦東史詩』の創作に着手し、翌年には中国共産党の地下革命闘争史の『革命者』を書き、この2年間の半分は上海に滞在し、しかも、宿泊したのは必ず黄浦江東側の浦東であった。この辺りが私の祖先が痕跡を残した「和氏埠頭」の一帯だからだ。こうした場所を選んだのは、その地域の空気を呼吸し、上海の血脈の源流に触れたいと思ったからだ。しかも、毎日、潮の干満に合わせて、目で、耳で、心で、黄浦江の流れを感じ取った。私の黄浦江に対する感情は、多くの上海の人々上回っているかもしれない。

　「一級アピール」前日、未明から上海は全国各地同様、すでに空っぽだった。かつて潮のように来ていた春節観光客の姿はほとんど見掛けず、上海に出稼ぎに来ていた人々も脱出し、特に武漢の感染症「警報」が全国に鳴り響き、武漢のロックダウンは上海から「帰郷して春節を過ごしたい」と思う人々の足取りを速めさせる触媒となり、上海の人口は一挙に少なくなり、特に浦東陸家嘴やバンド、南京路は突然、荒涼とした光景に一変した。

　1月25日（春節、旧暦元日）以後の数日は、上海市内を歩いている人

がほとんどいなくなり、宅配のバイクすら見えなかった。市民は市政府のアピールに従って「在宅」し、市政府の関連部門は連日、各種メディア、スマホのメッセージを通じて、家庭に閉じこもるように注意した。ウイルスを拡散させないためだった。春節休暇中に、上から下まで全員が、新型コロナウイルスは自分たちが暮らしている都市や農村に拡散するかどうか異常な警戒と懸念を抱き、誰も正確なことを知らなかったからだ。上海市の上層部や専門家にとって、この10日間は1年以上に感じたかもしれない。なぜなら、鐘南山ら専門家は武漢で発生したウイルスは潜伏期間が14日間前後であり、1月20日に武漢で爆発したとすれば、それから14日後に全国各地で大爆発するかもしれないと示したのだ。しかも、悪いことに春節前後がその時期に当てはまる。当時を振り返って見ると、感染確認または感染の疑いがある症例は、武漢以外の全国各地で急上昇し、まるでロケットのようなスピードだった。

　大上海の情勢も楽観は許されなかった。大都会の感染拡大は普通の都市や僻遠の地域よりも速度が速いので、上海は武漢以外で最も懸念される地域だったのが海人はよく分かっていたし、私自身もよく分かっていたが、誰も口に出さなかった。しかも、北京、広東に比べて、上海は劣勢だった。

　まず第一に、広東、北京はSARSの経験があること。

　第二に、広東は上海よりも気温が高く、同じように感染症が拡大しても、広東の方が終息は速いこと。北京は上海よりも気温が低く、ウイルスは低温では活発に活動しない。

　こうしたことから見て、上海の危険度は高い。

「在宅！」「頭を黄浦江の底に隠してでも在宅ください」と上海市政府は

呼び掛けた。市民もお互いに励まし合った。われわれ一人ひとりが感染症との戦いに全力を挙げた。

　しかし、在宅の苦痛、単調、さびしさは、憂うつ、イライラを増進させた。家族と離れ、同僚もいない私のような旅人はより一層寂しくで孤独になった。

　庚子年の春節は、天候も不順だった。北方では雪が降り続け、例年になく冷たい雪で北京人は寒さに震え上がった。普通、北京はしみるように寒く、上海や江南一帯は曇りや雨の日が続き、寒さは和らげられる。

　ホテルという牢獄に閉じ込められ、窓から黄浦江のほの暗い水面を眺めると、船は一艘も見えず、両岸の高層ビル群は林立する枯れ木のように声もなく孤独をはかなんでいた。見上げると、厚い雲が垂れこめ、地面には落ち葉や紙くずが吹きだまりを作り、見る者の心を寒々とさせた。

　これが上海か？ コロナ禍の上海か？ 上海はどこへ行こうとしているのか？ コロナに襲撃された黄浦江よ、何もできないのか？ あなたのかつての勇壮、気概、風格はどこへ行った？ あなたは敗北に甘んじるのか？ ウイルスに対して何もできないのか？ これが上海とは、私は絶対に信じない。

　こうした疑問を抱いてホテルを出た。寒風に迎えられ、恐らくウイルスにも迎えられて、黄浦江を見に行った。私は心の中の黄浦江を見たい、上海の魂と本質を見たいと思った。

　黄浦江のほとりに着いた。

　風が強かった。黄浦江の西側に目をやると、十六舗辺りが見えたが、一隻の船も見えなかった。黄浦江はまるで地上で苦痛にうめいている患者のようだった。東側を見ると、楊浦大橋は見えたが、同様に船は一隻

もいなかった。岸辺に係留されている遊覧船やボートは風と波にあおられて揺れ動き、まるでゆりかごの中の赤ん坊が苦しがって泣き騒いでいるようだった。その光景を見ていると心臓をえぐられ、喉が詰まって声も出ないような感じだった。黄浦江は小漁村から今日まで数千年にわたって上海を見据え、仮に血なまぐさい風が吹き、血の雨が降ったとしても、これほど悲惨な光景は見たことがなかっただろう。

黄浦江の岸辺をゆっくり歩いた。踏んでいるのはレンガ色の濱江大道。この世界でも一流の健康の道で、普段は多くの高齢者、青年が元気に、満面に春風を受けながらジョギングや散歩をしている姿が見られ、活力と活気に満ちていた。しかし、今、目に入るところに人影は見えず、すべての生きている証はすべて固まってしまったように見える。その固まった道路が心に絡みつき、重くのしかかり、息苦しく感じた。

私はそれ以上歩けなくなり、急いでそこを離れ、川面に突きだしている堤防に向かって駆け出した。ここは川面に最も近く、黄浦江の水の色や流れの速さを見ることができ、大型船が通過したときには飛び散る波しぶきが音を立てて水面をたたくところさえ見える。

岸辺に来るたびに、私が最も気に入るのは、ここに立ち止まり、両岸と水上のすべての風景を静かに感じることだ。特に汽笛を鳴らしながら貨物を満載し、笑いの絶えない多くの乗客を乗せて行きかう貨物船やフェリーを見ることである。その存在は黄浦江に生命と活力、価値と風格を与える。

しかし、コロナ禍の今、みんな消えてしまい、固まったような水上を時折、1、2羽の鳥が飛んでいるだけだ。おそらく何日も餌にありつけず、飛び方に力がないから、鳴き声も寂しげで、甲高く、絶望的に聞こえる。

助けてやりたいと思った。大声で慰めたつもりだったが、鳥は驚いて飛び去り、水中に飛び込んで、動けなくなったように見えた。どうしたらいいのか分からなかった。

　気持ちはますます落ち込んだ。

　長く広々とした岸辺を歩いているのは私一人だった。普段のにぎやかな光景は消え去り、1カ月前後の間に雲泥の差が生まれていた。

　浦東の旧造船所の歴史を残す大鉄錨の前まで歩き、ややしばらく眺めていた。この大鉄錨は私の祖先に関係があると信じている。もしかしてまさに「和氏埠頭」の旧造船所がこれを鋳造したかもしれない。それで毎回、ここを通りかかると、数分立ち止まり、その「鉄の肌」にそっと触れることにしている。普通の人は感じないだろうが、私はそれが温かみを持っていると感じる。遥か離れたところから次第に伝わり、私の身体に伝わり、私の血流と溶け合い、私は私の血液が沸騰するように感じる。私は私の祖父の祖父が私に呼び掛け、歴史のこだまを響かしている……と信じている。

　ところがその日は、コロナ禍によって見捨てられた大鉄錨が、これほど自信がなく、これほど孤独で、しかも、凄みを帯びているように見えた。その日は、いつもの倍の時間を費やして見て回ったが、かつてのような温もりが私の体内に伝わる感覚はなかった。逆にざわっと寒気がした。

　この大鉄錨の周辺は普段は釣りファンのたまり場だった。この辺りを歩いているとき、ここで釣りを楽しむお年寄り――中にはそれほどの年でない人もいたが――を眺めるのが楽しみだった。彼らは隅に置けないと思った。彼らの前方には歓楽街、繁華街が多いバンドや南京路があり、

後ろには超高層ビル群が立ち並ぶ国際金融センターの陸家嘴という中国で最も裕福な地域で、いわゆる「土一升金一升」だったからだ。しかし、釣り人たちの目には、何ごとも映らず、彼らの気がかりは、金の山、銀の山でも、株式相場の死に物狂いの売り買いの大声でもなく、観光客の賛美の声、皮肉に満ちた声でもなく、ただ自分一人の世界の事だ。この釣竿と釣り針に付ける餌は何がいいか。私はこのような人々は一人の境地を持っていると思う。彼らは毎日、岸辺に現れ、まさに黄浦江が生き生きとしている象徴だ。彼らの毎日の仕掛けと釣果こそが黄浦江の潮の満ち引きの精神であり、上海市民の生活の基本的な血脈なのだ。

　私は彼らを尊敬する。

　しかし、コロナ禍で黄浦江の岸辺に彼らの姿はなく、彼らも在宅で釣りに出掛けられないのだろう。しかし、これは彼らの静かな心、落ち着いた魂を束縛することとはイコールではない。

　ここまで考えると、私の心は錐（きり）を揉み込まれたように痛んだ。

　ああ、ウイルスは何と憎いことか！ 何でこれほど無情なのか、これほど暴れまわるのか、庶民を何でこれほど痛めつけるのか！？

　どうしてか？ どうしてこんな仕打ちをするのか？

　あの日、黄浦江の岸辺からホテルの部屋に戻ると、冷たい雨が窓ガラスをたたいていた。まるでハンマーで胸がたたかれ、窒息しそうに感じた。

　このときもう一度、夜色に沈む黄浦江を見つめると、心に黄浦江のさざ波のように憂いが沸き起こった。そこで最初の「黄浦江へ」という詩を書いた。

コロナ禍前、黄浦江上の筆者

黄浦江の岸辺の釣り人

## 黄浦江へ──あなたが流れると私の心にも涙が流れる

在宅で閉じ込められ
私の憂いは巨岩に押しつぶされ息がつけないようだ
春なのにあなたの温もりはどこへ行ったの
お願いだから言っておくれ
言っておくれ
いつになったら家に帰れるの
外へ出掛けられる
しかもマスクなしで
前のように愉快に笑い
自由に

ある風変わりな春節──
都会から喧騒が消えた
街から行き交う人が消えた
住民の住宅の窓から灯りが見えるだけ
みんな同じくルールを守っている
コロナがこれ以上わが身を襲って来ないように

そうだ。これは生か死かの問題だ
ウイルスとの戦いであり、また自分自身との戦いでもある
後ろを振り返る余地はない
アピールに従うだけだ

自分と家族を守ることが
国家と民族を守ることなのだ

何度も何度も意気消沈し悲痛、苦痛を味わった
毎回、毎日のコロナ「速報」が
心臓に突き刺さるからだ
泣きたくても涙も枯れる痛みだ

毎日窓辺に立ち
とどまるところを知らない奔流のあなたを見るとき
私はやっと黙って涙を流す
黙って祈る
私のこの街のために
人民のために
さらに次から次へと隔離されている患者と
前線で決死の戦いをしている医療従事者のために

こんなときに、こんな瞬間に
こんなことがあってはならない春節に
みんなあなたのことをどこかへ忘れ去り
いつもいつもコロナの変化を見ている
スーパーの開店時間には
棚に山積みにされているパンや野菜を見ている
しかしあなたは依然として黙って潮位を上げ下げしている

積荷を満載した数え切れない船を載せて流れている
この街が毎日必要なマスクや食料を
昼夜を分かたず
昨日も今日も
また一日

ああ、黄浦江よ
あなたはもう一度「母なる河」の光芒を放て
恨みも悔やみもないことを私に教えてほしい
愛の偉大さを、偉大な愛を

あなたは今も流れている
あなたは流れを一度も停めたことがない
あなたは風や雲によって流れているわけではない
あなたは喜びや悲しみで足取りを変えたことがない
あなたは決してこの街を見捨てない
この街の一人一人を
その一人一人は私の兄弟姉妹だ
ああ、もはやあなたを賛美する言葉はない
毎日、心が熱くなり、熱い涙を流すだけだ
あなたとともに
あなたとともに

この詩は2020年2月2日に書いたものだった。上海のコロナ禍拡大に対する憂慮と思いを表現し、また上海と黄浦江に対する思いを表した。後に他の数首の詩とともに、上海の関連部門が「コロナ禍文芸」として、著名なアーチストの陳少沢の魅惑的なバリトンで、黄浦江両岸の上空に朗詠された。

非情は人を詩人にする

憤怒は人を詩人にすると言われる。私は多くの場合、非情の方がもっと人を詩人にすると思う。2008年、四川の「5.12」大地震のとき、印象に深く刻まれた詩は以下の「わが子よ、早くママの手をしっかりつかまえて」だった。

　　わが子よ、早く
　　早くママの手をしっかりつかまえて
　　天国へ行く道は真っ暗だ
　　ママはあなたが頭をぶつけるのが心配よ
　　早く、ママの手をしっかりつかまえて

　　ママ、怖いよ
　　天国へ行く道は真っ暗だ
　　ママの手が見えないよ
　　塀が倒れて日の光を遮っているよ
　　もう見えないよ、ママの瞳が

　　さあ、行っていらっしゃい
　　前の道はもう何も心配はないわ
　　読み切れない教科書がないし、パパの握りこぶしもない
　　ママを忘れないでね、僕とパパのことを
　　さあ来世また一緒に歩きましょう……

この詩は誰か有名な詩人が書いた作品ではなく、今でも私は作者を知

らない。しかし、これはいい詩だと思うし、本物の詩人が書いた詩だと思う。

　最近の詩壇で詩は数多く書かれているが、いい作品は少ないと感じている。中国現代詩を全面的に否定しないが、例えば、葉延濱、韓作栄、雷抒雁氏らの詩はずっと非常に気に入り、本物の詩であり、中国現代詩の水準を代表していると思う。当然、この他にも才能にあふれた数多くの若い詩人もいると思う。しかし、読んで理解できない詩も多く、水よりも味がしない作品もある。詩人の多くが真情、実感に乏しく、屁理屈をこねているからではないだろうか。

　私は詩人ではないが、諧謔詩を書くことがある。コロナ禍の苦痛とストレスの中にいて、私は詩人になっていた。

　私がかつて北京でSARSを取材、調査した経験から、新型コロナウイルスの感染拡大は北京SARSを上回るだろうと思った。武漢は首都のように特殊な都市ではなく、防疫体制はかなり劣ると思われたからだ。

　しかし、あれから17年後に再び経験している感染症流行が、全中国をやりきれない状況にまで陥らせるには至らないと信じる。そこで私は知人に電話するとき、一つの予測数字を守り通した。おそらく死者200人前後で基本的に制御できるだろうと言った。この「予言」が完全に的外れだったとは思いも寄らなかった。

　武漢で毎日数十人から百人もの死者が出ていたときは、心が締め付けられる思いで悲嘆にくれずにはいられなかった。一つの都市には数百万、数千万人が同じ場所で生活し、毎日、身の回りの人が百人単位で死亡するというのはどんな状況であり、どんな心境だろう？　文字どおり、形容しようがない。

前日まで体調がよかったのに、突然、発熱に気が付き、病院に行って診察を受けたら、感染が確認され、その後、数日足らずで重症化し、集中治療室（ICU）に移され、人工呼吸器を装着され、あっという間に、連れ合いや友人知人、なじんできた街に別れを告げなければならないとすれば、どうすればいいのだろうと、当時、しばしば考えた。

　こうした光景、こうした事態が目の前に迫り、毎日そうした気持ちに追い込まれていたとき、ある日、スマホの映像で、武漢の人々が窓を開け、国歌を高らかに歌っている姿を見て、心から感動した。国歌の歌詞は誰でも覚えているが、その中の「中華民族が最も危険な状態に至ったとき」の意味を理解している人は何人いるだろうか？　当初、毛沢東はなぜあのとき、聶耳作曲、田漢作詞の抗日歌曲を中華人民共和国国歌としたのか、何人が気になっているか、あるいは全く分かっていないのではないか、と思う。無情残酷なウイルスがわれわれの親愛な同胞を次から次に死なせている今こそ、「中華民族が最も危険な状態に至ったとき」なのではないか。決戦に臨み、極悪のウイルスにいかなる犠牲も恐れず立ち向かう途上だ！

　私のもう一つの作品「もし、明日死ぬならば」は、こうして出来上がった。たいして時間をかけずに……。


### もし明日、死ぬならば──コロナ死者に捧げる

　庚子年、新型コロナウイルス感染症がわが中華を襲い、感染地域では毎日、死者数が急上昇し、心が押しつぶされ、息苦しい。したがって、あなたたちのこと、苦しさを乗り越えながら生きているわれわれ自身のことを思い……。

もし、明日死ぬならば、
　　歌を一曲歌いたい。
　　最も歌いたい国歌だ。
「立ち上がれ！ 奴隷となることを望まぬ人々よ！
　　我らが血肉で新たな長城を築こう！
　　中華民族に最大の危機迫るとき……


　　もし、明日死ぬならば、
　　歌いたいのはこの一曲、
　　最も歌いたい国歌だ。
「立ち上がれ！ 奴隷となることを望まぬ人々よ！
　　我らが血肉で新たな長城を築こう！
　　中華民族に最大の危機迫るとき……


　　もし、明日死ぬならば、
　　残っている最後の一息で
　　歌を歌いたい、
　　最も歌いたい国歌だ。
　　祖国よ、命がけで愛する国、
　　一刻も早く病魔に打ち勝ち、困難を脱し、
　　人民の幸福な生活をもう一度取り戻したい。
　　そうなれば、私の死は一種の解脱になる、
　　一種の栄光になる……

もし、明日死ぬならば、

　それは天国へ行く道、

　そこで高らかに歌いたい。

「中華民族に最大の危機迫るとき……

　最も危険なときに……」

2020.2.7早朝

　私は依然として、詩人ではないと思っているが、詩歌は好きだ。特に、部隊にいた若い頃、改革開放が開幕したばかりの1978年、1979年に、海外の古典文学はまだ全面販売解禁ではなく、1冊の外国の文学書を買うのも骨が折れた。今のように、どこでも世界級古典が手軽に手に入れる時代ではなかった。シェイクスピアのネット集が好きで、その本を買うために、ある冬の日の早朝、午前2時前に起きて、軍用オーバーを着て、駐屯地から10里（約5キロ）離れた場所にあった新華書店まで行き、8時半の開店まで並んで待ち、やっと1冊のシェイクスピアの詩歌集を買ったこともあった。

　詩歌は一種の独特な言語、創作方式だ。本物の詩人は素晴らしい。精緻な言語表現にはとても及ばないが、ルポを書いているとき、疲れたり言葉に行き詰ったりしたとき、手元の詩歌を拾い読みすると、新米詩人の作品であっても、何らかのヒントを与えてくれる。原稿を書いているとき、「詩情」が時に湧き上がってくる。

　これは私の体験だが、「詩情」が特に感動したとき、非情を感じたと

きに沸き起こってくるものだ。コロナ禍でホテルに閉じ込められて数日後の1月29日（旧暦正月5日）早朝、カーテンを開けた途端に、私の顔に陽光が降り注いだ。感動し、興奮さえした私は大急ぎで着替え、ホテルのロビーに降りて、両腕を広げて、陽光を抱きしめ、何とも言えない温もりを感じた。このとき、心の中に真の歓呼と吶喊が響いた。太陽は素晴らしい！

　そうだ、コロナに苦しめられている今こそ、日の光の温もりはどれだけ暖かいな！ 温かい日の光があれば、ウイルスは消え去る。消え去れば、万物はよみがえり、人類は再び力いっぱい、自由に春を抱きしめられる……。

　詩情が沸いてきた。さあ書こう！


　　　太陽は素晴らしい
　　　われわれに光明と希望を見せてくれる
　　　さらに心の中にほんのり温もりを植え付けてくれる

　　　太陽は素晴らしい
　　　頭のてっぺんにかぶさっていた恐怖が
　　　今日から消え始めた

　　　太陽は素晴らしい
　　　万物が再び成長し始めた
　　　恥知らずの疫病神はどこかへ逃げ出した
　　　太陽は素晴らしい

あなたは血を乾かす教訓をくれた
あなたは国を復興させる威望をくれた

太陽に誓う
これ以上は好き勝手にはさせない
疫病神にわれわれの肉体にも魂にも侵入させない

子供たちは楽しみが必要であり苦しみはいらない
お年寄りは健康平穏であるべきで、死を早めてはいけない
われわれはあなたの無私の光芒から離れられないから

太陽は素晴らしい
明日も明後日も……毎日毎日あなたに会いたい
そうすれば毎日毎日が素晴らしい

　この詩は後に何人かのプロによって朗読された。その中には元解放軍
総政治部話劇団の有名俳優である朗読家の劉紀宏と上海の芸術家の陳少
沢が含まれ、彼らは二人とも朗読していると、涙がこみ上げてきたと語
っていた。後にこの詩は多くの出版物に掲載され、武漢にも伝わった。
　この詩で表現したコロナ禍の中で感じた希望は、多くの人々に共通し
ていたので、多くの人がこの詩に共感してくれたのだと思う。「黄浦江
に至る─あなたが流れると私の心にも涙が流れる」とともに騰訊（テ
ンセント）の動画で紹介されると、のべ4000回以上のクリックがあり、
思いもよらなかった。

しかし、詩歌はコロナ禍の中でわれわれが伝えるべき主要な心境ではなかった。感染が爆発的に拡大したとき、全国人民が気がかりだったのは健康であり、国や社会に対して将来的な憂慮や関心——例えば、武漢の感染拡大状況、公衆衛生問題——を訴えていた。

　同じ頃、私は二つの心配事があった。一つはコロナ禍で慌ただしく亡くなった人、および犠牲になり殉職した医療従事者、担当係官、一般市民のために、国家級の追悼式を開催することだった。もう一つは、迅速に立法措置を講じ、健全な国家的な公衆衛生システムを構築し、再びSARSや今回のウイルス禍のような感染症流行を起させないことだった。

　数十年営々と築いてきたこの繁栄を、生活習慣の制約に加わらない人々および不健全な管理メカニズムによって破壊されてはならない。そこで、2月11日、私は以下のような二つの建議を行った。

### 清明節新型コロナウイルス感染症死者慰霊祭
### ならびに「中国防疫の日」設定に関する建議

　①今回の新型コロナウイルス感染症で亡くなったすべての犠牲者を追悼するため、この戦疫で犠牲になり、殉職した医療従事者および関係者を追悼するため、今年の清明節に国家追悼式を挙行する。

　②2003年のSARSと今回の新型コロナウイルスの二度の感染症を体験した中国公民として、私は全国民同様、習近平総書記の指導の下、今回の戦疫に勝利するために尽力しつつ、以下のように感じている。国家、政府と民衆の防疫意識は、何はさておき重要であり切迫している。とりわけ、われわれ中華民族

が富強の偉大な道を歩んでいる今こそ、欠かせない課題である。

このために、立法部門は武漢で感染症が発生した日を今後、年に一度の「国家防疫の日」あるいは「国家公衆衛生の日」とできるか否かを研究、確立するよう建議する。これによって、国民が自らの生活習慣を改善し、防疫意識を強化し、政府関連部門が防疫システム等の国家ガバナンスを確立するよう督促する。

　ここに建議する。

何建明

2020年2月11日

　いわゆる百冊の古典よりも一言の警世の言葉が効果的なこともある。人類社会は数千万年経て、陽光雨露も必要だが、時には警鐘も乱打しなければならない。特に、急速に発展している大国では、本当のことを話し、みんなに話し、有益な話をしなければならない。

　そうではないだろうか？　今回の感染拡大がこれほど全国をもがき苦しめているのは、目覚めさせる必要があるからではないか？

　この二つの建議は、重要な建設的な意義があり、特に後半の「国家防疫の日」あるいは「国家公衆衛生の日」の設置は意義が大きい。十数日後、一部の全国政協委員が類似の建議を行った。多くの友人がこの「特許料」はどう計算するかと冗談っぽく言ってくれたが、いいことだから、誰が言ってもいいではないかと私が答えた。これは国民が国家ガバナンスに参与する権利の一種だ。まして、「百度」で調べれば、これを誰が最初に提起したか分かるはずだろう！

コロナ下にも聞こえるセレナーデ

どれほど残酷な戦場でも、美しい音楽を耳にすることがある。突然、目の前に現れたコロナ禍の渦中でも、ロマンチックで魅力的なセレナーデを聞いた。

　17年前にSARS戦疫の戦場で、私は前線取材の任務に追われ帰宅できず、北京・西四胡同に部屋を借り、約2カ月「一人暮らし」を余儀なくされた。

　毎日、取材があり、また北京市政府庁舎に出掛け、防疫指揮部の会議にも参加した。いつも、門を通るたびに検温で止められた。「また37度以上ありますよ。」いつもそこを通ると、赤ランプが点灯する。係員は私を入れない。発熱者は「危険分子」だからだ。実は私の体温が標準より高いのは感染症には関係なく、漢方医の言い方を借りれば、「内熱」というもので、どこかに故障があるシグナルだ。しかし、当時は若かったせいもあって、気にもならなかった。しかも、SARSに対してさほど恐ろしいという意識はなく、上司の指示でわれわれのような軍人出身の作家は勇んで前線に赴いた。最後までたいした問題はなく、誰も感染しなかった。

　ところが今回の新型コロナウイルスの感染力はSARSに比べてかなり強いようだ。

「一人暮らし」は2カ月余りになり、忙しい上に食べる場所がなかった。私はほとんど毎日、3度の食事はインスタントラーメンで済ませていた。そうしているといとも簡単に太り始めた。体重は92キロになった。2003年4月−6月は文字どおり「体重促進期」でいろいろな故障が出始めた。その後何年も、健康診断のたびに、医師に「血糖値が高いですよ」、「8もあります」と言われたが、全く気にせずに、6、7年経つうちに「糖

尿病」のレッテルを張られた。2年前には空腹時血糖値が「12(標準は5—7)」になった。ついに、脱力感が強まり、顔に黄疸が出始めた。

それからは、食後のランニングによってエネルギーを消耗させ、血糖値を下げようとした。実際、そう簡単にはコントロールできなかった。しかし、歩かなければならない。もともと運動嫌いだったが、両脚を動かして、歩かなければならないと決意して、今でも毎日朝晩、何とか方法を見つけて歩いている。最初は3000歩、それから5000歩に増やし、今では10000歩にすることができた。

コロナ禍爆発後、全国的に「在宅」が推進され、私の日課である「血糖値下げ運動」の続行が難しくなった。ホテルにはフィットネスクラブがあるが、今はすべての公共施設は閉鎖。部屋は狭くて、うまくいかない。仕方なく、ホテル下の空き地を歩いてみたが、どうも気分が乗らない。もうひとつ具合が悪いのはそこが野良猫のたまり場で、彼らの命はホテルを出入りする人々が与える食べ物で維持されていて、普段はのびのびと暮らしているらしい。私がそこで運動を始めると、5、6匹の猫が花壇ややぶの中から荒々しく飛び出し、私に向かって、狂ったように鳴くではないか。その意味は「お前は誰だ?」「よくもわれわれの縄張りに入って来たな!」「食いものは持って来たか?」「持ってないならさっさと失せろ!」「また来る気なら、食い物を忘れるな。」彼らのどう猛な身構えを見ているうちに、内心恐怖さえ感じた。それ以来、そこにはあまり近づかなくなった。

「在宅」を指示されてからの私は「猫の領地」以外に鍛錬する場所がなくなった。思いも寄らなかった事態だ。

普段だと、この時間帯の大上海は活気にあふれ、目に入るのは林立す

る超高層ビルであり、人やクルマが行き交う街路、路地、すさまじい数の人々が押し寄せる駅やショッピングモールのはずだが、現在は在宅で、身の回りのあらゆることが変わり、恐怖さえ感じる。大小の通りから人が消え、車も数分に1台現れる程度だ。地下鉄の出入り口の人の流れも変わった。地下深くに向かう出入り口はまるで空腹を訴える口のように見える。物体の凝固、物体の静寂、物体の変化は、眼前に突然現れた無数の硬直した死体よりも恐ろしく感じた。その「広大さ」や「壮観さ」が普段の印象とはひっくり返り、思考と感情をひっくり返し、錯乱させ崩壊させた。

　ホテルの階下の空き地で運動を始めた。100歩も歩けば1周半できる広さだ。歩いていると、突然「ニャー」「ニャー」の声が聞こえ、東西南北から5、6匹の猫が私を囲い込むように迫って来た。

　鳴きながら、一歩一歩、少しずつ近づいて来る。私を囲むと、その目が私を震え上がらせた。貪婪で欲望に満ち、挑戦的な目の色だ。「われわれは腹が減っているんだ。何か持って来たか？」「何日も食っていない。何も食い物を持ってこなかったのか？」「われわれを餓死させようというのか？」と言っているようだった。

「待て！お前たち！」──私は恐怖心にかられた！　大男の私が、野良猫の一団に脅かされたのだ！

　私は今回もやむなく「撤退した。」「待っていろよ！」と自分を励ますために大きな声を出し、駆け出し、一気に部屋に戻った。

　何としたことか？　野良猫に驚かされて慌てふためいているではないか。

　その後の数日間は、その空き地には行かなかった。旧暦1月10日（2月3日）頃、私はもう猫はいないに違いないと思った。そっとあの空き

地に行って、運動を始めた。「1歩、2歩……」と歩数を数え、初めて30分歩き、4000歩に達し、血糖値を下げる運動指標に達した。

「ニャー」

「ニャー」

「ニャー」

　なんと、また野良猫どもだ！　しかし、鳴き声がまるで変わっている。力なく、切ない気持にさせる。かすれた声で、赤ん坊の泣き声か、いまわの際の絶望の声のように聞こえた。

　私は鳥肌が立った。

　よく見ると、1匹のまだらの子猫、その後ろに大きな黒猫、そのまた後ろに白猫が現れた。他の連中はどこへ行った？　数日前は5匹いたはずだからだ。2匹はどこへ行った？　辺りを見回しながら考えた。考えながら胸が締め付けられた。彼らはもたなかったのだろうか。餓死したのか。きっと他の場所に行ったのだろう、と自らを慰めて、現れた3匹を観察した。

　　猫はおそらく一家に違いない。まだらは子供で、黒猫は父親で、白猫は母親に違いない。きっとそうだ。元来、猫嫌いの私はこの発見に興奮した。子猫は甘えん坊で鳴きながら私に近づいて来る。黒猫は凶暴さを隠さず、私との決闘も辞さない構えだ。白猫は遠く離れた場所から私の動きをじっと観察している。彼らの分業体制は明らかで、「ファミリー」の職能配置は完璧だ。空恐ろしくなった。

　　「ニャー」「ニャー」——子猫の鳴き声には、私に対する好意と親近感が感じられた。「ボディーランゲージ」で十分に分かった。

　「お腹が減ったよ」「腹ペコだよ」——その声は赤ん坊の泣き声そっくり

だった。

　気持ちが動かされた。私の最も弱い部分を突つき、かわいそうだという気持ちが芽生えた。

「ニャー」「ニャー」と鳴き続けながら、私にさらに近づいて来た。心の中も緊張して、ますます早足になり、ようやく脚にまとわりつく子猫を振り払ったと思いきや、ふっとつまずいて、無意識のうちに子猫を蹴飛ばしてしまった。

「ギャー」と鋭い声で私は全身から冷や汗が吹き出した。それまでまとわりついて歩いていた子猫は、不注意だった私に蹴飛ばされて、離れて行ってしまった。

「ごめん、ごめん。わざとやったんじゃないよ」──かわいそうに地面に座り込んだ子猫を見ているうちに、涙が出てきそうだった。何度も子猫に謝った。

「ニャー」「ニャー」──地面でゆっくり身体をひねって、子猫は素早く立ち上がり、また「お腹減った」と鳴き続け、二つの目でじっと私を見つめていた。

　どうしようか？　指折り数えてみた。上海の「緊急事態宣言」は1月24日だったから、今日まで10日も経っている。人間が10日も一食もできずに生きていられるか？　ホテルはほとんど空っぽで私を含む数人が「在宅」しているだけだ。他の人がこの空き地に食べ物を持って来るわけはないので、猫たちはかなり長い時間何も食べていないのだ。

　ああ！　災いは人類を悲嘆にくれさせるだけでなく、無数の生きとし生けるものに塗炭の苦しみを与える。数え切れない命が失われ、中には瞬時に絶滅したものも。

これまでずっと野良猫に同情したことはなく、猫は大嫌いだったとさえ言える私は、このとき、特に強烈に憐憫の情を感じ、自分の子供が腹をすかしているのを見ているような気持ちになって、かがみこんで、子猫に「お前が腹をすかしていることは分かっているよ。分かっているよ」と話し掛けた。

「ニャー、ニャー」何としたことか！　一家そろって私に媚を売り始めた。そばから離れず、脚に身体をこすりつけてくる。そうなつかれると、気が緩み、胸がいっぱいになり、情に流されるものだ。

「よし、よし、分かった、分かった！」私は子供をあやすように言った。そう話すと、野良一家はますます私の脚にまとわりつき、私をどうしようもない気持ちにさせ、涙を流させた。

「食べ物をくれないのか？　それなら早く行ってしまえ！」「ニャー、ニャー」突然、子猫が私に向かって叫び立てた。その勢いはまるで私に何か貸しがあるようだった。

「分かったよ!」よしよし、ここで待っていろよ。部屋から何か食べ物を持って来てやるからな。ここにいろよ、すぐ来るからな。」その時、私は自分の子供を助けるような気持ちで、その子猫と両親をそこにおいて、部屋に戻った。朝食のビュッフェから持って来てあった2個のゆで卵——夜食用の「糧食」だった——を持って、ついでにソーセージを1本つかんで、エレベーターに乗った。

　空き地で猫一家3匹が身を寄せ合って待っていた。子猫にゆで卵をむいて、白身をきれいなレンガの上に置いてやった。食べない。白身が嫌いだと気づき、黄身を掻きだしてやった。今度は夢中で食べ、2個の黄身はあっという間に子猫のお腹に収まった。

「ゆっくり食べろよ。ゆっくり。」むせるではないかと心配したが、いらぬお世話だったようだ。

「ニャー、ニャー……」「ン？ おっ、お前か」子猫が食べるのに気を取られていた私は、そばで黒猫がないているのに気が付いた。よし、よし。パパにもやろう。ソーセージを半分に折り、半分を子猫にやり、半分を黒猫の方に投げてやった。なんと子猫は、まずパパに投げてやったほうのソーセージに跳び付き、それから自分の分にむしゃぶりついた。

この一家は！ 笑い出したくなったが、この子猫がもっとかわいそうに感じた。ひもじくてたまらなかったのだろう。パパとママも面子まるつぶれだったのだろう。しかし、感動したのはパパ猫の態度だった。彼は子猫とソーセージを取り合おうとはせず、子猫の食べ残しをなめていた。遠くで見ていた白猫もそばにやって来たが、黒猫と子猫には近づかない。仲むつまじい一家の偉大な母親の姿に感動した。

世の中の母親はみんな無私で愛情に満ちている。また涙があふれて来た。

翌日の朝食のとき、スタッフにこれから毎朝、ソーセージ4本、ゆで卵8個をテークアウトするのでつけておいてく

白黒まだらの子猫と大きな黒の親猫

れるよう頼んだ。

　マスクをしているスタッフは笑顔で「何先生、食欲がありますね」と言ったが、私はその理由を話さなかった。

　その日から、私の孤独な「在宅」生活に責任と必要不可欠な仕事が加わった。

　ホテル裏の空き地の3匹の猫はおそらく今でも「ニャー、ニャー」と鳴いているのだろうが、私を見ると「ミャー、ミャー」と甘くかわいい声で鳴いているように聞こえるようになった。

　その鳴き声は、コロナ禍ステイ中に聞くロマンチックなセレナーデとして、私を酔わせた。これはまたコロナ禍中に体験した最も心温まる出来事だった。別の角度から見れば、自然界、動物の世界では平和、親密、共存の関係であるべきであり、そうした相互依存の関係があれば、この世界もさほど孤独ではなく、さほど災難が頻発するものでもない。


　　　私の歌声は黒夜を突きぬけ
　　　軽々とあなたの元へ飛んで行く
　　　すべては静寂と安寧
　　　愛する人よ、早くここにいらっしゃい

　　　月光が皓皓と輝くのを見ると
　　　こずえのささやき耳元で
　　　こずえのささやき耳元で
　　　誰も私たちを邪魔しない
　　　愛する人よ、考えることは止めて

そうすると窓の外から聞こえるよ
夜鳴き鴬の歌声が
彼女はあの甘い歌声で
私の愛を伝えてくれる
彼女は私の気持ちを分かってくれる
私の苦衷を

あの鈴のような音色で
感動的な温もりのある心で
歌声もあなたを感動させる
いらっしゃい、愛する人よ
一刻も早くこの私の懐に
幸福と愛情を運んで来ておくれ

　なぜかしら、このとき黄浦江辺りの灯りが輝く高層ビルやマンション
を眺めていると、そこで舒伯特の『小夜曲』が舞っているようだ。その
抑揚が心を震わせ、改めて「牢獄」のような都会に生気と愛に満ちた活
力を与えた。

戦争の風雲

これは戦争だ。戦争ならば、そのときに人がさまざまな「表情」を現すのも何の不思議もない。

　3月までの中国の戦疫の舞台は武漢だった。しかし、今では主戦場は上海と北京にある。しかも、私は戦疫が始まって以来、いつ何時、ウイルスが外部から侵入して来るかもしれない黄浦江の岸辺のホテルに滞在している。

　すぐ近くの浦東空港は世界各国を結ぶ中国最大の国際空港であり、平時は乗降客が年間のべ5000万人に達していた。コロナ禍が世界中を席巻してからは出入りの便数は大幅に削減されたが、3月以降、浦東空港と対岸の虹橋空港は、コロナ禍を避けようとする人々の第一選択のようだった。人道的な角度から、これは間違いとは言えなかった。

　しかし、われわれのように数カ月「在宅」に慣れた人間が、国際空港の様子を見ればびっくり仰天したに違いない。空港は「120番*」の救護現場になっていたと言ってもいい！ 防護服を着た戦闘員は何人いるだろうか？ 救急車は何台？ ここに待機している医師は何人いるろうか？ どこへ行っても恐怖の「白」に染め上げられている。上海の空港が名実ともに感染拡大の「前哨線」になっている——いや中国の、世界の前哨線になっている。

「すごい人数だよ！」——税関検疫官の肖さん、曽さんはT1ターミナルビルで感染重点国から飛来する航空機の機内で検疫を行ない、180人の入境者に対する検査を終えたばかりで、これで彼ら6人のチームが担当したのはすでに4便だった。機内で全員の検疫をするには短くても1時間、長ければ2時間。

　どんな光景かというと……。がやがや、どなり声、絶望のため息、ピ

＊訳者注：日本では119番。

戦争の風雲　　274 — 275

ーチクパーチク、ののしり声が響き、普段は決してお目にかからない顔つきが爆発した。生死の関頭で顔つきは最も生き生きとし、最も醜悪になるのも無理はない。肖さん、曽さんが想像もしていなかった事件も起きる。三、四十代の女性が「あっ」と大声を上げた。「大変だ！　大変だ！」

「どうした？　何が起きた？」——機内の乗降口は大混乱に陥った。誰も何が起きたか分からない。

　防護服に身を固めた肖さん、曽さんが通路に立っている多数の乗客をかき分けて取り乱している女性のそばに急行した。

「どうなさいましたか？　ご気分が悪いですか？」「あー、困った……」女性客は顔を覆って泣き始めた。

「どうしましたか？　どこが具合悪いですか？」と若い曽さんが聞いた。彼は5、6時間もトイレに行けずに膀胱が破裂しそうだ。乗客の体温測定をして、健康情報を聴取している時は全神経を集中しているので、その感覚もなくなっていた。今、1便の検疫が終わったら、やっと気が緩み、感覚が戻ってきたのに、その女性客の「あっ」という声で、その「感覚」はまたなくなった。

「どうされましたか？　泣かないでください。」——曽さんが話していると、肖さんが若い同僚に「何をぐずぐずしている！　急いでストレッチャーを持って来い！」

「何のために？」曽さんは事態が分からなかった。

　肖さんはこの若者をぶんなぐろうと思った。目線で下を見るように合図した。女性客は下半身から出血していた。

「血だ！」曽さんは目を丸くした。

「ストレッチャーだ。急げ！」「はい、了解！」

　二人はこの女性客を載せて走った。一人が「道を開けて、開けてください！」

「どうした？」「何だ？」ターミナルビルのコンコースは普段入境客で込み合うが、みんな目の前の光景に驚いた。女性の下半身は出血が止まらず、ストレッチャーの後ろには赤い線ができていた。

「この乗客は出血が止まりません、大至急通関手続きをお願いします！」肖さんはぜいぜい言いながら、税関の係官に頼み、近くの警備員を手招きし、「車を手配してくれ、病人だ！ それも重症！」

「了解しました！」警備員はただちに搬送車を手配して来た。彼らを待つ間に、この女性の入境手続きは「グリーンゲート」で処理した。

「救急車は来ています。空港に最も近い婦人科病院に連絡済みです。後はわれわれがやります」と警備員は曽さんの手からストレッチャーをひったくるようにして、走り出した。その直前、女性は「ありがとう。ありがとうございました」ともうろうとした様子ながら、二人のほうに会釈した。両目から涙が流れ、ほほを伝っていた。

「Hungry！ Hungry！」

「No！ No！」

「どうした？」曽さんが大出血の女性を見送って間もなく、背後から大きな泣き声が聞こえて来た。今度は大きなスーツケースを2つ引っ張っている外国籍の母子だった。大泣きしているのは4、5歳の男の子で、若い母親は疲労困憊しているようだ。

「Sorry、すみません。食べ物はどこで売っていますか？ 息子が……14時間も飛行機に乗っていて、食べたのはBreadを２つだけなのです。」

その欧州系の女性は目にいっぱい涙をためて、肖さんに尋ねた。

「Breadって何だ？」と振り向いて曽さんに聞いた。

「パンですよ。彼女と子供は機内でパンを二切れ食べただけで、腹がすいている、と言っています。」若者の「片言英語」のほうが少しましだった。

「それじゃ、何で早く食べ物を持って来ない！」肖さんは曽さんに食べ物を手に入れて来るように命じた。

「僕は……膀胱が破裂しそうです」と曽さんは重たい防護服を震わせた。

「急いで、走れ！」肖さんはそれには構わず、曽さんに手を挙げて命じた。

「ヘロー」と、肖さんの「片言英語」はもっと「片言」で、知っているのは「Hello！」と「OK！」だけ。

その巻き毛の男の子は、巨大な真っ白の防護服を着た「中国パンダ」を見て、「わっ」と驚いて、泣き始めた。「Afraid！」「Afraid！」

「Sorry！ Sorry！」母親は子供を背中の後ろに引っ張って、肖さんに何度も謝った。

数メートル離れて立っていた肖さんは、自分の「パンダ」のような格好が男の子を驚かせたことは気が着いたが、どうするわけにもいかなかった。そこへパンなどの食べ物を大急ぎで戻ってきた曽さんがその場を救った。

「バイバイ！」

「バイバイ……！」

パンとアイスクリームを食べた男の子はもう泣かなかった。ママと一緒に二人の中国検疫官に手を振って「さよなら」と言った。

「もう我慢できませんよ」と、曽さんが先輩同僚に声を掛け、トイレに走り出そうと思ったとき、突然、甲高い声で呼び止められた。「聞きたいことがあるんだが……」

　二人が振り向くと、30歳前後の「中国人」の男がものすごい形相でやって来た。

「どうしましたか？」と肖さんが尋ねた。

「病気にかかって、病院で治療するのはただだと言っていなかったか？」この男の声は一段と大きくなった。

「そうですよ、何かお分かりにならないことがありますか？」肖さんは曽さんがトイレを我慢できず腰を曲げているのを見ながら、この男と話し続けた。

「しかし、俺なら自分で払ってと言われたとは！　どうなっているんだ？　おれは正真正銘の中国人なのに何で金を払わなければならないのだ？」その男は目を真ん丸に見開いて、まるで彼から借金しているような調子だ。

　曽さんは一歩前へ出て、「留学生ですか？　それとも経営者ですか？」と聞いた。

　すると「何が留学生？　経営者？　おれはれっきとした米国公民だ。サラリーマンだ。」その男はますます威張りくさった表情になった。

「あなたは中国人ではないじゃないですか。何で権利のあると怒鳴るんだ？　あんたは外国で金を稼いで、少しでもこの国に税金を払っているのか？　帰って来たついでに甘い汁を吸おうとしているんじゃないのか？」曽さんは数デシベル高い大声を張り上げた。すると、元「中国人」は驚いて、急に弱気になって、「ちょっと聞いただけだよ。何もそんなに怒

らなくても……」

　この男は100メートルレースに出場できそうな猛スピードで走り去った。
「ははは……」と肖さんは堪え切れずに笑い出した。
「あのガキ！　わいらから甘い汁を吸おうってのが、許せねーよ！」と
曽さんは得意満面だったが、突然しゃがみこんで「あ、イテテ……」
「何がイテテ……だ？　おれもイテテ」肖さんは曽さんを叱りつけよう
と思って、自分の下半身も爆発しそうになっていることに気づいた。
「何が起きた？」飛行機から降りたばかりの入境者は防護服を着た二人
が床にかがみこんでいるのを見たら、さぞ奇怪に思うだろう。

　二人はお互いに恥ずかしそうに目線を交わした。ズボンを湿らすほど
になっていた尿は勢いよく流れ出た。

　大の男が小便でズボンを濡らすような出来事は戦疫中の「間奏曲」に
過ぎなかった。防疫の本当の戦場は社区に、あるいは職場に、身の回り
のあまり注意を払わない場所にあった。

　戦疫は戦争であり、戦争では想像したあらゆることが起き、想像もし
ないことも起き、人はその中で平常心を失い、時には人格も変わる。数
日前、上海で隔離されていたオーストラリア籍の中国人女性が、中国語
で防疫スタッフに「水道の水は飲みたくない。ミネラルウオーターがほ
しい。人権問題だ」とベラベラ騒ぎ立てた。

　虹橋から近いところに１万人余りが住む国際社区があり、そこに突然、
新入境者十数人が在宅隔離された。防疫措置に同意していたはずだが、
住民委員会には連日、苦情電話が掛って来た。「毎日9時と6時の2度ごみ
を取りに来ると言っていませんでしたか？　どうして毎日、3分、5分遅れ、
10分過ぎに来ることもありますよ。隣の家から抗議されたよ。」

「抗議しに来た！」住民委員会の幹部がその苦情電話を置いた途端、事務室の入口に息をぜいぜいさせながら、老住民が集まり騒いでいた。

「ゆっくりお話ください。」住民委員会のスタッフは忍耐強く、来訪者を座らせようとした。座るどころか、これはすぐに解決してもらいたい。そうでなければ上部機関に抗議する！」

「一体何事ですか？ 話してください。」

「うちの隣は全部隔離された人たちだ。彼らは毎日2回、ドアの前の廊下にごみを出す。あんたたちは午前9時と午後6時に収集すると言ったそうだが、最近、収集時間は10分以上遅い。ひどい時は20分もだ。これでいいと思うか？ われわれの生活はどうなるんだ？」

「そうだ、そうだ。毎日、遅いよ」と住民は口々に文句を言い立てた。

「おじいさん、おばあさん、分かりました。お静かに」と言って、社区住民委員会の幹部は収集員によって「時間差」があることを認めて、みんなに了解してもらおうとした。

「それじゃだめだ！」「同意できるわけがない！ 毎日、10分、20分も遅れたら、何ごとも狂ってしまう！」

「わしは毎朝9時に、運動に出掛けているが、友達はおれが来れなくなったと思うよ。三人麻雀はいやだからな。」住民は口々にまくし立て、引き揚げようとはしない。

「あんたたちはたいしたことではないと言うが、わしは午後6時に孫を連れて帰るんだが、アパートの下で10分も20分も待たされたんじゃかなわん。冬は寒いし、真っ暗だ。熱でも出たらどうする。」

「そうだ！ そうだ！ この事態を大至急解決しろ！」

「大至急だ！」

住民委員会の幹部は「この問題は必ず解決します。毎日のごみ収集時間を5分以内にします。それでいいですか？」
「いいだろう。明日、時間を確認するからな」と住民たちは真面目そのものだった。
「大いに結構。われわれの仕事ぶりをよく見てください」と言って、住民を送り出した後、頭を抱えた。十数人の隔離者は8、9号楼に分散していて、十数階に住んでいる人もいるので、上がり下りのたびに、エレベーターを使うので、時間を管理するのは簡単なことではない。
　戦疫とどう戦うか？　結局のところ、やはり具体的な「突撃」をプロパティマネジメント会社に押しつけた。
　プロパティマネジメント会社の役員は「大将軍」然として、「正式に任務を通達する。隔離者のごみ収集時間は午前9時5分、午後6時5分を超えてはならない。時間に遅れた場合は罰金だ」と数人の「突撃隊員」に命じた。
「われわれは問題ないが、エレベーターがうまく動いてくれるかが問題だ」と彼らは困り果てた表情。
「そんなことは知らん！　この砦を爆破してくれ。君たちは革命戦争の英雄、董存瑞や黄継光みたいなものだ！」
「英雄のまねはできませんよ」と隊員たちは泣きそうな顔で頭を振った。しかし、どう言っても彼らが「突撃隊員」であることには変わりなく、戦場に行けば勇猛な戦士になる。その後、毎日2度の隔離者宅のごみ収集時間に彼らは100メートル走の選手のように、いくつかの建物の中を上へ下へと走り回り、秒単位の仕事ぶりだった。
「今度は時間が正確だ。」

「住民委員会幹部は言ったことは守る！ 良いぞ。」

　ドアの隙間から覗いていた隔離者も元々の住民もみんな満足そうにうなずいていた。住民の要求は過度ではなかったようだ。感染源になるかもしれないごみが玄関先に置かれている状態は小さな事ではないに違いない。

　その通りだ。一分一秒を争ってこれらのごみを収集するために、プロパティマネジメント会社の「突撃隊員」は悲惨だった。地域外の感染拡大がますます深刻になり、上海市は3月17日から、16カ国を新型コロナ感染重点国として、これらの国から上海に入境する人々は全員14日間の隔離が必要で、これは域外の防疫戦線が以前よりも拡大したことを意味していた。社区のごみ収集の「局部戦場」も激しさを増した。

　管理会社の理事と再度会ったとき、彼は真っ黒な顔に苦笑いを浮かべて、自嘲気味に「前世の悪事がたたって、今生はプロパティマネジメント会社務めだ。ウイルスが襲来すると『無冠の帝王』だ。」

　ハッハッハ……

「何がおかしい！ 早くやめろ！ どうしたんだ？」警察官が「錦繍前城」社区に住む張某に訊問している。数日前、この男は11歳の双子を連れて、感染重点地区から上海にやって来た。14日間は異常なかったが、奇妙なことに15日目になって、彼は突然、防疫チームに体温が高い、と連絡して来た。医師が往診して測ると、確かに高かった。防疫チームに緊張が走った。ただちに集中隔離ステーションに送り、PCR検査を行った。結果は新型コロナウイルスの感染者と診断され、上海市の「箱舟」病院に送り治療することになった。関連部門は迅速に感染経路の「疫学調査」を行った。その結果、この人物は隔離期間中、毎日こっそり、飼い犬を

散歩に連れて出ていたことが分かった。この「真相」は社区の防疫チームに突き止められたのだった。彼を知っている人がスマホで、張某がいかに防疫スタッフの目をごまかして、毎日朝夕、犬を散歩に連れて行ったことを自慢していた、と通報したからだ。

　これはまずかった。一人の新型コロナウイルス感染者が毎日、犬を連れて散歩していた。濃厚接触者は何人いるのか？　彼がやったことは犯罪だ！

　張某は訊問の間中、うなだれていた。少しましだったのは、彼の申し立てに基づいて警察関係者がモニター映像を精査したところ、彼が犬の散歩中に社区の住人とは接触していないことが分かったことだった。

　これで彼の罪は少し軽くなった。しかし、彼が言い出した問題は防疫チームにさらなる面倒を突き付けた。二人の未成年の双子の子供をどうするかだ。「集中隔離ステーションに送り込む」患者の濃厚接触者として、当然隔離が必要だ。しかし、「未成年」なので張某の意見を聞いた。

　彼らはまだ子供なので、隔離ステーションに送ることには同意できない、という。彼は「重点感染地域にいる彼らの母親を」上海まで迎えに来させてほしい」と提案した。

　それは絶対に不可能だった。防疫指揮部が認めない。そのリスクは計り知れない。

「それじゃ、俺も子供をあんたたちに任せるわけにはいかない」と彼は強硬に反対した。

　1時間経過した。防疫隊員はなすすべがなかった。どうするか？　もし強硬に未成年の子供を家族から離して、隔離した場合、何か起きたらどうするか？　誰が責任を取るのか？

社区、住民委員会、街道三級防疫スタッフは慌てふためいた。二人の子供は長時間、家に置かれたままで何か間違いが起きているかもしれなかった。この防衛戦が突破されたらこの社区全体が感染の危険にさらされるからだ。

　どうするか？　どうすればいいか？　みんな焦ったが、いい方法は思い浮かばなかった。張某もその妻も譲歩する気は全くなかった。

　そのとき、「あるぞ！　いい方法を思いついた」と、街道防疫指揮長の李嘉定が大きな声を上げた。彼は法学部出身だ。関連条文を思い出したらしい。「『未成年者保護法』の条文によれば、二人の子供は現在、法的な保護者が保護責任の履行が不可能な状態に置かれていることが確認できる。そうした場合、われわれが子供の保護権を引き継ぐことができる。われわれの責任で、彼らを隔離ステーションに送ることができる。あとの日常生活のことはあそこの専門家に任せればよい」と言った。

　それはいい！　全員が興奮状態になった。李指揮長は「われわれは上海司法界の大御所の見解を聞かなければならないが、このやり方が合法的だと確認できれば全く問題ない。」

　司法当局の回答は同じ解釈だった。住民員会の担当者は「お知らせする。わが国の『未成年者保護法』の規定により、あなたの二人の子供は保護者不在と見なされ、われわれが臨時の保護者として、お子さんを隔離ステーションに送ります」とベッドに横たわっている張某に告げた。

　問題はまだあった。子供の問題は解決したが飼い犬はどうする？　この犬も感染していないとは限らない。最終的に警察関係の関係部署に連絡し、市のペット保護センターで隔離してもらうことにした。

「子供たちの様子を見に行きたい！」治療中の張某はまだ心配している。

「安心して治療を受けていてください！ お子さんたちは大丈夫ですよ」
と医療スタッフは隔離ステーションにいる双子の動画を見せた。父親は
目にいっぱい涙をためて、「母親と一緒よりはこちらの方が安心かもし
れない。」

　しばらくして、子供たちが帰宅できる日が来た。張某は「もう少し、
あそこに置いてもらえないかな？ 気に入っているようだし……」
「それは無理ですね。隔離する必要がある人がどんどん増えていますか
ら。」

　子供が母親に連れられて帰る日が来るまで、住民員会の幹部は忙しか
った。母親が到着するまで数日もなかったからだ。

　感染が確認された張某は上海の医療スタッフの努力で無事に退院した。
彼のような回復者はまた在宅隔離が必要で、彼を家まで送った警察関係
者は彼に「隔離証」を手渡した。「完全に回復するまで調査と法的な決
定を待ってください。」

　張某は力なく、「自業自得だった」とため息をついた。


　こういった取り上げた物語のような実際に起きたことは2020年の上
海戦疫の縮図のごく一部に過ぎない。これらエピソードの背後には一線
の医療従事者や防疫スタッフの苦難と努力が隠されている。彼らは目を
充血させ、額に汗して重ねた苦難の時間は、この戦「疫」の中で輝く、
最も素晴らしい「表情」に違いない。

　しかし、「戦争」は依然として継続中であり、勝利はまだまだ先の事
だろう。

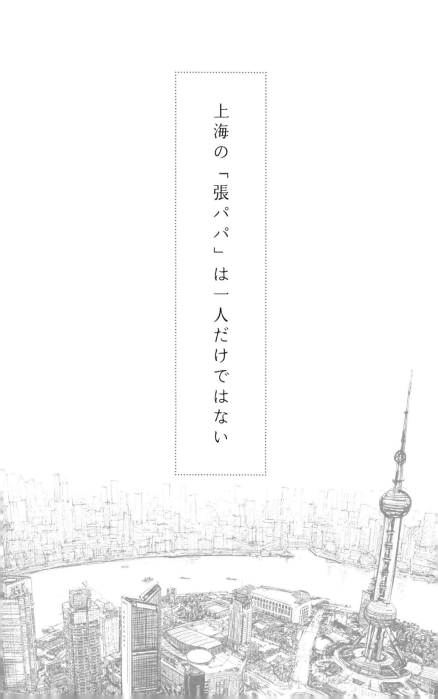

上海の「張パパ」は一人だけではない

ここまで書いてきたところで、武漢で突然、事件が起きた。孫春蘭が率いる中央指導チームが3月5日、武漢青山区のある社区で検査活動をしていたとき、現地の住民が突然、窓から「偽物だ」「偽物だ」と大声で叫び、この様子の動画がオンラインで流された。この一言が国務院新聞弁公室に公式回答をさせることになった。

本来、決してたいしたことではなかった。しかし「偽物だ」の一声で、官民に目を覚まさせる効果があった。なぜ？ 普段からわれわれは多くの「偽物」を見ているからだ。

よく言うように、普段見ている「偽物」は、せいぜいその量をごまかしたり、庶民に被害を与えたり、「統計データ」、「業績」、「公僕イメージ」にさまざまな影響を及ぼしたりするに過ぎないが、感染症に直面し、生活が危機に瀕しているこのときに、こんな「偽物」は大変危険であり、憤慨させた。人々はその上層部の人間が来る前に至って初めて示された一本一本の完璧ぶり、かれらを笑顔にさせた偽のやり方に大いに憤慨したのだ。これは現在、社会的な陋習であり、一部の人々に常態と見られた風俗だ。

現実に向き合い、感染拡大に向き合っているとき、誰にも嘘を言わず、嘘ごとをせず、取り留めのない話をせず、くだらない話をせずに、役に立つ話、実際の話、事実に符合する話、他人が聞いて分かる話だけをする人がいる。この人物が今回の感染拡大の中で、突然インフルエンサーになった「上海第1号ヒーロー」の張文宏だった。

もちろん、鐘南山が疑いなく全国民に一目置かれる高い地位にいる押しも押されもしない大人物である。それに対し、張文宏は全く別の「ジャンル」に属する。彼は恐れず何でもしゃべり、他人が彼をどう見てい

るかまるで気にせず、当然、他人の行動には目もくれず、したがって、正真正銘の「インフルエンサー」になった。今日見た文章に、彼を「メディア関係者を狂わせる医者」、「感情を持たない『チキンスープキラー』」と呼んだ。。

　このエッセーは短いが、面白い。メディア人はやりづらいな！　上層部は彼らに命じて、深層に迫って感動的なエピソードを発掘させようとするが、そこで彼らはたまたま上海の張文宏に巡り合った。華山病院感染科主任というポジションは高くないが、彼は医療従事者の中に「潜んで」いた「広報の鬼才」であり、平均レベルを上回る本領を発揮していた。口から気兼ねなく滑り出る話は14億人を笑わせ、悟らせ、反省させ、一緒に行動させる。

　一部の人は「無感情の、リアルハードコアの、アンチヒポクリット達人」と彼を称するが、張文宏は「天まで持ち上げるつもりか？　コロナが収束したら、僕は相変わらず職場に戻って、同じ仕事をするよ」というだけだ。

　張文宏は確かに「一戦で名を成した」「鬼才」の面を持っているが、最も貴重なのは、彼のように、ありきたりの手順に拘泥〈こうでい〉しない人はもうほとんど見掛けないということなのだ。昨今、「ありきたりの手順」どおりに任務を果たす人がほとんどだからだ。しかし、張文宏は「ありきたりの手順」に反して、一言二言で心行くまで真実の話を人々の心に届けた。

　例えば、メディアには医療従事者が人工流産10日後だろうが、妊娠9カ月だろうが、相変わらず断乳強行したりして、前線で戦うことの「偉大と無私」を称えているとき、彼はきっぱりとこうした「いい」宣伝材

料を切り捨て、こういった行為に冷静に一言を放った。「そうした状況に出くわしたら、私は行かせませんね。たった数十元のためにどうして？」

例えば、華山病院が医療チームを武漢に派遣したときも、その中の一人の医師の父親が重症病室に入院したことを知ると、彼は「安心して戻れ！ 父親の面倒を見るほうが重要だ」と言った。

例えば、外部応援から戻ったばかりのある医師がすぐ再び派遣を買って出ると、張文宏は、色をなして「君は帰って来たばかりだ。今回は派遣しない。家へ帰って休め」と怒鳴った。その後、1月29日、張文宏は年末からそのときまで働いていた医師全員を交代させた。

コロナ禍がピークの時期であっても、彼はこのように「当たり前の生活」を重視したことに、懸念を示した人もいた。それに対して彼は目を丸くして、「最初から関わっている連中は疲れ切っている。無理やり言うことを聞かせるわけにはいかない！」と言った。「代わりに誰を派遣するのか？」という質問に、彼は即座に「党員だ！」と言い、「入党したのは何のためだ。宣誓したとき言わなかったか？ 人民の利益を第一に、と言わなかったか？ 普段、そのスローガンを叫んでいるだろう。今こそ行ってくれ。駆け引きをしている場合じゃない！」

コロナの前線に行くのにおびえる党員は一人もいなかったが、せいぜい心の中で舌を出し、「あのろくでなしめ、奴にかかったらかなわねえな」と毒づいた。

ハハハ……、張文宏はこうした実話が伝わるたびに、「上海のトップスター」の座に躍り出て、後に親しみを込めて「張パパ」と呼ばれた。

コロナ禍中には一生懸命に働くことが褒め讃えられ、「残業をいとわない人」が「いい人」とされていたが、張文宏は全く反対のことを主張

した。「私は残業を推奨しない。家庭を放棄して、不眠不休で働かせるのは非人道的だ。」

　なんと、彼はずっと褒め讃えられてきたことを「非人道的」と言い切ったのだ！ それは反逆でなくてなんだろう？！

「非人道的だろう！」と彼は顔を真っ赤にして、怒った雄鶏のように「決闘」も辞さない構えだった。

「一般の人にとって、それもただ一つの仕事だけだ。高尚っぽいことを言って、人を縛り付けてはならない」と彼は言った。さらに、彼はコロナが流行している際に、ひたすら医療従事者の奮闘を宣伝し、讃えるではなく、彼らを気遣うべきだと指摘した。なぜなら、本当に最優先気遣うべきなのは防護対策、次は彼らの疲労度、三つ目は彼らの労働環境だからだ。「もしそれらが追いついていなければ、医療スタッフを人間として扱うではなく、機械として酷使するだけだ。」これは非人道的ではないのか？

　そのとおりだった。後に張文宏が正しかったことが証明された——上海では医療従事者の感染はなかった。まさに奇跡だった。

　専門家に対してもそうだ。迷信してはいけない。専門家は「でたらめ」は言わない。嘘は言わない。ばか話はしないし、庶民が聞いて分からない話もしない。まして、専門家や医師は必ずしも上品で礼儀正しいとは限らない、癇癪持ちだよ。「医師が全員、上品で礼儀正しいというのは全部うそだ。全部大うそだ！」

　ほら、彼は本当のことを言ったなぁ。言いながら自分でも笑った。庶民も笑って喜んだ、「あなたが気に入ったよ。張パパ！」

　危機のとき、多くの人は彼に鎌をかけ、落とし穴を作って彼を試す

ことさえあった。張文宏はその手は食わなかった。「重症患者の治療法を私に聞いていますか？ 正確な回答を求めていますか？ 私が答えるのですか？ この質問はよく考えてしていますか？ あなたが自分は患者のことに関心があり、彼らを救いたいと思うでしょう。しかし、『専門家』の回答を『金科玉条』としたら、何人を傷つけると思いますか？ 自分の質問に誤りがあることに気がつきませんか？ 良心は痛みませんか？ 私の考えでは、あなたは最悪だ！ 不服ですか？ なぜですか？ それじゃ言いましょう。私が話してもあなたが聞いて分からないのはわれわれが読んだ本がもともと違うからです。あなたは私が話し出したあらゆる文字を全部知っても意味が分からないでしょう。ただ、教えてあげられるのは、ここの重症患者は上海で最高の複合領域チームが提供する治療を受けているということです。治療方法というものは紙に書いてあるではなく、患者の身体に書いてあるのです。あなたはこの薬がいいか、あの薬がいいかと聞くのですか？ 最も有効な薬はあなたの免疫力ですよ！」

　なるほど。張文宏の話を聞いて帰宅して、考えると、なるほど、と思う。新型コロナウイルスについて、今になっても全世界の医師や専門家はそれが一体何なのか知らないし、霊験あらたかな妙薬も作られず、ただ「天命に従う」のみだ。鐘南山先生も次のように言っている。最高の医師はあなた自身であり、免疫力強化が最高の抗ウイルス武器であり、人はそれぞれ持つことができる。

　上海人の張文宏に対する見方と外部の人間の見方は全く異なる。上海人は彼が気に入っているのは彼が上海のイメージを別の角度から豊かにしているからだ。かつて外部の人から見ると、上海の男は「オネエ言葉」を使うものだと思っていたが、今では張文宏のように歯に衣着せずには

っきりものを言う人間を発見した！ かつて上海女性は上海の男を好まなかった。物事をてきぱきしないし、ぐずぐず言って、はっきりしないからだった。ところが、仮に今ではその男たちを「解き放して」みると、もしかして張文宏並みの「よか男」になるかもしれないことに気がついた。

　ハハハ……。私は今上海にいるし、半分以上も上海人だと言えるので、張文宏の話を再読すると、「いくつかの事情」が感じられる。

　第一に、彼は本来、「オーソドックス」な意味での上海人ではない。彼は浙江省・温州瑞安の生まれで、1987年、上海医科大学医学系に入学し、医学を専攻、卒業後、上海に残り、華山病院感染科に就職。その後今まで30年以上、上海で暮らし、上海の言葉を話すが、この「田舎者」は完全にその「こてこての田舎の泥」が落ちていない。それで彼の話や行動に「気が利かない」農民ぶりが現れる。後に、香港大学、米国ハーバード大学医学院およびシカゴ州立大学微生物系で客員研究員となり、博士号も取得した。「海外留学」経験者を高めに見積もりがちの上海人はこうした経歴を知って、ますます彼のことが気に入った。これで、彼はやっと「田舎者」だと見られなくなった。その後、さらに復旦大学付属華山病院感染科主任、主任医師、博士指導教官を務めた張文宏は、復旦大学生物医学研究員、国家感染症予防専門家として、誰も「田舎者」と呼ばれなくなった。みんなは彼を誇りに思い、「わいら上海人」の仲間とみなし、特に、コロナ禍では「株価急騰」で、彼の名声は市の上層部の誰よりも高い。

　第二には、彼のしゃべりの「滑らかさ」だ。時に「滑らか過ぎる」ことさえあることだ。しかし、ペラペラ軽薄にしゃべるのではなく、彼の

話は実が伴い、その中から「滑らかさ」がにじみ出てくるのだ！ これは人に吐き気を催させる油かすの臭いとかべたべたの油っこさとも違う。確かに彼が「インフルエンサー」として有名になると、みんなに素晴らしい上海人だと言われた。そこで彼は「由緒正しい」上海人だと想像されたが、先祖三代を問われると、彼は「おだてないでほしいね。私は農民の子で、上海に出て来たのは家族を食べさせるためだ」と言った。「それではコロナ禍でどうしてこれほど偉大に振る舞っているのか？」と聞かれると、「私を過大評価したのは意味がないね。医者として病人を救うのが基本的な仕事であり、当然なすべきことをやっているだけで、偉大かどうかは関係ないね。病人を治すのは当然で、治せないのは医術が足りないことを示し、未知の世界に対する認識がまだはるかに劣っているということだ」と彼が語った。

　確かにおっしゃるとおりだ。私がここまで書いた際に、ちょうど国家衛健委等の関連部門が戦疫に参戦した医療従事者を表彰したが、なんと長い表彰者名簿の中に張文宏の名前がなくて、ネットユーザーは「おかしい」と叫んだ。

　実際、「おかしく」はなかった。鐘南山の名前もなかった。今回の国家表彰は武漢の前戦の参戦者が対象であり、張文宏と鐘南山の名前がないのは当然のことだった。

　私は多少上海の「事情」に通じているが、大上海には張文宏のような人間は彼一人にとどまらない。上海が「大上海」と称され、「小上海」ではないというのは、ここは「降竜伏虎」と言われるほど、人材を輩出し、止まらず流れる黄浦江の水のように、次から次へと現れてくる。私は中国共産党地下党の闘争史と浦東開発史詩を書いてはじめて、この辺

の事情を知った。

　来年は中国共産党成立100周年だ。次のような疑問は持たないだろうか？ 中国共産党の発祥地はなぜ、当時の「革命大本営」の広州ではなく、また最初にコミンテルン（Comintern）*とつながった北京ではなく、上海だったのか？ 私は次のように認識している。それは上海は路地裏、小さな建物が多いという隠れ家の条件がそろっていた他に、上海人は「頭の回転が速く」、反応が素早く、しかも「何か始めるのに憧れる」という高邁（こうまい）な追求心が骨身に刻み込まれているからだろう。

　上海には「張文宏」は一人しかいないと考えるのは本当の上海を知らないからだ。

　今年は浦東開発開放から30年に当たり、中外人士は浦東──特に陸家嘴の国際金融街──に行ったら、この新興の現代化した大都会を見ると、きっとその美しさに感嘆するに違いない。ここが30年前には水田で、貧しい郷村だったことを誰が知っているだろうか？

　こうした巨大変化はどうして起きたか？ 党と国の政策はもちろんだが、深圳よりも10年遅く、しかも中国は1990年初頭、西側世界に対中経済制裁に直面していた。当時の上海は周辺の郷鎮並みの貧しさだった。朱鎔基が当時の党委書記兼市長だった。当初、彼は9億元を「浦東開発事務所」に振り向けることにした。その下に具体的に浦東建設にかかわる3社を設立し、各社に3億元を配分し、浦東開発にあたらせる構想だった。ところが、後の状況は「浦東開発事務所」の同僚たちを呆然とさせた。朱鎔基は「言ったことを守らなかった」からだ。

　この全過程で面白いのは、こうした「歴史的な出来事」によって、上海にはさまざまな時期に数多くの「張文宏」的な存在がいたことがわか

＊編集部注：1919年から1943年まで存在した国際共産主義運動の指導組織。

った。

　ある日、朱鎔基は当時「浦東開発事務所」主任の楊昌基を慌ただしく呼び出して、「まずいことになった。浦東開発に9億元出せなくなった。1億元しか出せない」と言った。楊昌基は慌てて問い返した。「3社に9億元をあげると言いませんでしたか？　各社1億で足りるわけがないでしょう？　そうなら、どうやって始めるのですか？」

　朱鎔基は笑いながら謝って、「とりあえずそれで計画してくれ、話はそれからだ」と言った。

「おっしゃる意味はある金に合わせた仕事をしろということですね！」と、楊昌基は反論しようとしたが、朱鎔基のさっさと立ち去る背中を見るしか、何も言い出せなかった。「大上海にぼろぼろのところがいっぱいあって、1200万人があり、金が要る場所はたくさんある。ここの市長はやっていられないな」と内心がため息をついた。

　楊昌基は仕方なく頭を振り振り戻り、ただちに事務所と開発会社3社に伝達した。数日前から熱気にあふれている事務所のメンバーは設立したばかりの3社の幹部連に次のように語った。「これほどの資金だったら、せいぜいペーパーカンパニーが作れるに過ぎないだろう！　堂々たる浦東開発は無駄骨に終わるかもしれんし、何年かかるかもわからない。」

　さらに、彼は「金は少なくなったが政策がなくなったわけではない！政策がうまく行けば、金はついてくる！」と強調した。

「私は主任の意見に賛成だ。土地の増殖がうまく行けば、金は足りる」と、新任の開発事務所副主任の黄奇帆がうなずいて賛意を示した。

　みんな、半信半疑で、ただ顔を見合わすばかりだった。彼らの中に「土地増殖」を利用して、資金を転がす開発技術を試した人間は一人もいな

かったからだ。

「だめだ！」「だめだ！」それからわずか数日後、楊昌基再び3社の責任者を招集して、「上層部の秘密精神」を伝えた。「朱鎔基市長がたった今言ったことだが、1社1億元ではなく1社3000万元、それに開発事務所に1000万元留保し、併せて1億元だ。」

　楊昌基は伝え終わると天を仰いで、「これでどうしろと言うんだ」と大声を上げた。しかし、浦東開発は鄧小平が言うように中国が持っている「切り札」だ。前へ行かなければ、絶対にだめだ。これは政治の大局にかかわる問題であり、経済の大局にも影響する問題だ。

　どうする？　上海人はこうした時にも何か方法を思い付く。まさにその時、一人また一人の「張文宏」並みの人間が相次いで立ち上がった。ここに私は楊昌基の以下のような回想文を持っている。

　　　数日後、朱鎔基同志は上海を離れて北京に赴任した。その前に、彼は私に「先に少し渡すが」と言い、「ただちに、いくら必要か？」と言ってくれた。当時、私は言いにくいと感じたが、考えた後、それでは1社3000万元をと言った。
　　「それでできるか？」と、朱鎔基が尋ねた。彼もこの数字が非常に少ないことを意識していたはずだ。当時、私が次のように言った。それは熟慮の結果だった——われわれはすでに開発会社3社の起動資金を政府系資金依拠から市場調達方式に変えていた。この手法は「財政投入、小切手譲渡、収入上納、土地完備」で、俗に「土地使用権譲渡、空転起動」と言われた。後に、この方法は中国共産党中央党校のある副校長に「空手道」だ

と概括された。「空転起動」のプロセスは以下のとおりだった。市財政局から土地使用権譲渡価格に応じて、開発会社に政府の企業に対する資本投入として、小切手が切られる。開発会社は市土地局にまた小切手を切り、併せて、土地使用権譲渡協定に調印する。市土地局は土地使用権譲渡後、開発会社から得た譲渡金を全額市財政局に上納する。こうした資金の「空転」のプロセスを通じて、「土地譲渡、開発起動」の目的が実現した。

　当時、私は朱鎔基同志に土地空転の利益の1000分の4は中央に戻り、財政に空手形を受け取らせ、土地局は土地を拠出し、公証処が公証すれば、1平方メートル60元で計算して、4平方キロの土地は2億4000万元の財政収入を生み出すことと言った。「それじゃ、それでやってみよう」という朱鎔基同志の言葉には信頼と期待が込められていた。私はこの状況をチームのメンバーに伝えた。


　楊昌基が開発事務所で上述の精神を伝達すると、部下たちは口々に「国際的な笑い者になりませんか?」と言い出した。

　事務所の小会議室ではみんなが苦笑いしながら、顔を見合わせ、頭を横に振る者、うなずく者がいた。「確かに国際的な笑い者になるかもしれませんよ。広東、江蘇一帯ではみんな毎平方キロの面積ですでに1億元になっていますよ。われわれの浦東は350平方キロ全部で1億ですよ! これは『国際笑い者』でなくてなんだろう?」という声も上がった。

　今度は楊昌基がまず笑い出した。「浦東開発の件について、おそらく本当に『国際笑い者』と見られるだろうな。全世界に上海人は何でもや

るということを見せてやろうじゃないか。そう言った後、彼は部下を見
回して、「みんな、この『土地換金』をやってみたくないか?」

「やってみたいですね」と、後に重慶市長として、また都市建設の分野
で卓越した成果を上げる黄奇帆がすっくと立ち上がった。怪訝に思った
者も笑った者もいたが、みんなの視線が彼に集まった。数日後、浦東開
発開放における有名な「空手道」モデルはこうして誕生した。

　まず、朝、財政部門が浦東開発事務所に1枚の「空小切手」を切った。
さらにこの小切手は開発事務所から開発会社に回った。次に土地部門の
開発区確定のためのアセスメント費用として支払われた。開発会社は土
地部門のアセス書類を持った後で、ただちに土地取引市場に上場し、前
払い小切手を獲得した。この時の小切手の額面は財政部が切り出した小
切手の額をはるかに上回っていた。この日の退勤前、浦東開発会社はロ
ケット並みのスピードで朝受け取った小切手の額面と同じ金額の数字を
小切手に書き入れてから、ただちに市財政部門に送り返しなければなら
なかった。こうして「空転」した一日、市財政当局は1銭も減らなかっ
たし、浦東開発会社各社の額面には大金額が書き込まれていた。その
後、開発会社は土地収用、立ち退きに乗り出し、「3通1平(通水、通電、
通電信、土地平整)」に着手し、後は企業誘致に全力を挙げた。気に入
った企業は巨額の土地賃貸料を上納した。開発会社はその金で、さら
に土地収用、立ち退きや「3通1平」から一段と「7通1平」を推進した。
その上に、また投資会社が上納した金を使い……。かくして、開発は雪
だるま式に膨らみ、それを何度も繰り返し、浦東は今日の超高層ビルが
林立し、黄金色に輝く新紀元を迎えている。

　これが中央から浦東に与えられた土地貸付政策で、朱鎔基が指導、推

進し、黄奇帆らが一手に引き受け動かした「浦東モデル」の資本蓄積の「高級空手道」の技だった。この技はマルクスの『資本論』が資本主義社会の「原始資本蓄積」を述べる際にも出てこない「モデル」や「先例」だった。その後、中国の都市化の過程で、少なからぬ地方でこの「浦東の経験」が生かされた。

　鄧小平が言うとおり、発展は「不動の道理」だ。今日、戦「疫」戦闘中に、張文宏がこれほどもてはやされるのは、彼が主張していることはまさにウイルスを「悶死」させ、人間を生き抜かせるという「不動の道理」ではないか？　彼の言行が、この基本的、本質的な目的から出発しているからこそ、彼の「滑らかなおしゃべり」はいかなる下水道にも落ちず、ますます多くの人々から喜ばれ、ますますレベルが高くなり、あるいは奥行きが出てきたのだ。

　上海の上海たるゆえんは、上海は決して凡庸な人、無能な人、無為な人に支えられているのではなく、数多くの張文宏のような、彼よりも張文宏的な人傑の存在があるからだ。そこに卓越した非凡さが備わり、しかも時代ごとにこうした疾風怒濤を巻き起こす人材が輩出している。中国共産党がこの地に生まれたのもその一例だ。1920年代、1930年代には中国新文化運動の旗手の魯迅、茅盾、巴金、夏衍らがいたのも一例だ。上海人と駐上海軍の勇猛反撃は、壮麗な民族史詩として史書に書き込まれているのもその一例だ。新中国成立後の前の数十年、上海の国民総生産（GDP）は全国の6分の1だったことがいい説明だ。さらにその後の浦東開発は言うまでもなく、大上海が輝いているのは張文宏のような「鬼才」が多数いたからではないか？　絶対にそうだ。上海は「こっそり財を成す」ことに慣れている上に、それが骨の髄に染み込み、精神に刻ま

れている。

　今年は浦東改革開放30年で、この過程には上海人が経てきた多くの驚くべき大事件が起きた。外界が知らないのは、新上海近代化の過程で、何人かの懸命に働き、まじめに働き、聡明で忠実な「張文宏」がそのために苦労を重ねた。

　新上海に来ると、多くの人が二つのシンボル的な場所があることに気づくはずだ。一つは632メートルの上海センタービルだろう。中国一の高さを誇って高々とそびえている。私はこれを見ると一人の人物を思い出す。倪天増という上海市の都市建設を主管した元副市長だ。背が高く痩せた彼は、働き盛りに浦東開発、旧市街改造、新市街建設開始時期を担当した。私は歴史的なニュース映像と新聞の写真で見たことがあるが、大プロジェクトの施工やヤマ場のときは彼が陣頭指揮を執っていた。しかし、完成のときや式典で上層部が現場に来るときは、彼はいつも参加者の後ろに立っていた。彼は背が高いので見つけられ、彼の髪が風に吹かれながら立っていた様子は写真に写っていた。上海の知人によると、彼は特に尊敬を集めた「市民市長」と言われ、市民のことを常に念頭に置いていたそうだ。清華大学で建築を専攻して卒業した彼は、浦東開発に熱心に取り組み、上海のシンボル的な超高層ビルを建設するのが夢だった。しかし、計画の青写真を見ただけで、建設の光景は見ることができなかった。副市長を9年務めた彼は1992年6月7日、疲労から心筋梗塞で急逝した。享年54。亡くなって9年後に「中国第一の高層ビル」が完成した。着工から今日までこのビルを管理してきたのは彼の秘書だった顧建平氏だ。

　上海浦東にはもう一つの毎日数万人、数十万人の観光客を引き付けて

いるスポットがある。ディズニーランドだ。これはあり触れた観光スポットではなく、中国大陸で唯一で、簡単にやって来たものではない。当時、上海はディズニーランドを浦東に誘致しようと考えた。最初は朱鎔基も自ら出馬し、話を進めていた。しかし、しばらくして、先方の「ボス」が不幸にも事故で世を去った。これによって、この話は熱が冷め、棚上げにされた。

　2001年になり、上海は改めてディズニー側との交渉に着手した。今回は浦東開発の重鎮で新区区長の胡煒が登場した。この人物は「浦東開発戦場の李雲竜」と称され、彼の輝ける物語はここから始まった——「張パパ」である張文宏に比べても、より一層煌めいた存在だった。

　2001年某月某日。米国ロスアンゼルスのディズニー本部を、胡煒が率いる上海貿易交渉代表団一行が訪れた。
「あなた方は？　われわれと交渉されたいのですか？」とディズニー側の応接に当たったスタッフは胡煒とその後ろにいる中国人に傲慢な視線を送り、無表情に次のように言った。「ご存じですか？　フランスはわれわれと商談するために、副首相、知事、大臣が来られました。香港からは曽蔭権が来ました。胡先生、あなたは？」
「私は中華人民共和国上海市全権代表です」と、胡煒は傲慢でも卑屈でもない落ち着いた口調で答えた。

　ディズニー側はまだ半信半疑で、中国側の「全権代表」を見つめながら畳みかけ、「交渉には各分野の専門家が必要ですが、そちら側にはいらっしゃいますか？」
「います。」
「交渉はすべて対等な人数で行います。50人の交渉専門家が必要ですが、

準備されていますか？」

「準備しています。中国で最も優秀な法律家、専門家を同道しています。」胡燁はドアの外にいた随員を手招きした。中国側交渉団がディズニー側の前に堂々と姿を見せた。

「OK！Please, come in！」

　ただ、ディズニー側のドアが開いたからといって、すべて「OK」という意味ではなかった。次から次へと「難問」が現れた。世界最大の総合エンターテイメント企業として、ディズニーの高慢さは誰でも知っている。提携を希望していた交渉対象は最終的に99％が外された。

　中国、上海、浦東はどんな結果になるのか？

　世界最大のレジャー施設のディズニーだけあって、すべてのキャラクターが独創的でグローバル性があり、すべては再製不可だった。

　交渉の最初の段階で思い知らされたのは、ディズニーグッズがなぜこれほど高いかだった。

「人工のキャラクターの馬1頭がいくらだと思うか？」とディズニー側の交渉スタッフが中国側「全権代表」胡燁に尋ねた。

　胡燁は左右を見回して、普通の価格ではないに違いないと心の中で反芻した末に、最も高い値段を言った。「10万ドル！　10万ドルなら買えるでしょう。」

　ディズニー側は大げさに首を横に振って、「NO！　100万ですよ。100万ドルです。」

「ゴールド製ですか？　こんな金額に値する価値がある？」と胡燁は首を傾げ、不思議だと感じた。

「それはわれわれの知的財産権が貴重だからです」とディズニー側は

尊大に言い放った。「あなた方は知的財産権に対する尊重が足りません。われわれのすべての製品の貴重性は、知的財産権に基づいています。中国側の誠意を見るのは、主に知的財産権の面においてです。」

胡煒は「われわれが言う提携は知的財産権に対する高度な重視も含めてです」と厳かに明言した。

「提携成功を期待して！」

「われわれは必ず成功する！」

双方はしっかり握手を交わした。

しかし、これに続く正式交渉は、握手よりもずっと複雑で困難だった。「ディズニー側との交渉は何回でしたか？」という私の質問に、誰も答えられなかった。交渉は回を重ね10年余りに及んだからだ。「他の交渉は知らないが、私が率いてロスアンゼルスで行った初回だけでも、まるまる2週間、先方が用意してくれた宿舎から離れませんでした」と胡煒は述回した。「なんと当時新たに買ったファクスも、使い過ぎで壊れてしまった！」

「交渉で使った資料の量をご想像ください。それを全部、一台のファクスでロスアンゼルスと上海の間を送受信していたのです」と胡煒の助手から聞いた。彼によると、交渉団50人は毎日午前9時から始め、深夜まで、時には夜を徹して作業を続けた。

諸外国の交渉団が不思議に思ったことがあった。それは疲れ切っているはずの「中国人」が毎晩、交渉終了後、宿舎に戻ってから、自室には入らず、短パン（夏だった）に穿き替え、通りを散策することだった。「えっ、なぜですか？」私も不思議に思って聞いてみた。

すると胡煒は笑いながら次のように明かしてくれた。「交渉は微妙な

状況でした。われわれは先方の地元にいるわけですから、内輪の協議内容が盗聴されないように注意しなければなりません。それで比較的安全な路上で話し合っていたのです。」

　そうだったのか！

「交渉とは言いますが、戦争と変わりませんよ」と「全権代表」の胡煒は「ディズニーとの交渉で、知的財産権に関する協定書だけで、大人の頭の高さまでありましたよ。それぞれの協定書には双方の利益があり、国家の尊厳もかかっているので、いつも緊張していました」と語った。

　この交渉のために、胡煒は上海をはじめ全国から最優秀の法律家と専門家を集めた。彼らを異国の風土に「なじませる」ことができるようにするために、彼は交渉では指揮員だが、宿舎に戻れば「後方支援連隊長」も担当した。

「交渉は体力と脳力を消耗する戦闘です。彼らが十分な精神力と体力を備えて、次の交渉に臨めるようにしなければなりません」と、胡煒が「ロスアンゼルスの旅」を回想した時、喜色満面で次のように語った。「ある晩、交渉が長引き、早朝3時、4時になりました。交渉チームのメンバーは疲労困憊でした。私は急いでチャイナタウンに人を行かせて、ビュッフェの食べ物を買って来させました。みんなむさぼり食べました。その時、米国側の交渉チームが突然現れ、無礼講で一緒に食べ始めました。面白い光景でしたよ。最後に見るとわれわれチームは全員、テーブルに突っ伏して寝ていました。それらの米国人はというと、彼らも床に転がって寝ていました。数えると50人ちょうどでした。」

　「これが交渉現場でした。実際、これは交渉の入り口に過ぎませんでした」と胡煒は言っていた。

ある日、胡煒らはディズニー交渉会議室から宿舎に戻った。すると、部下が緊張の面持ちで胡煒に「主任、まずいことが起きました」と報告した。

「あわてるな、何だ？」と。

「ユニバーサル・スタジオの連中がわれわれの宿舎の喫茶店に座っています。」「来てしまったのならしようがないだろう」と言いながら胡煒も内心驚いた。彼が率いるこの交渉団の第二の任務が、ユニバーサル・スタジオとの交渉だったからだ。この任務は「秘密性」を帯びていた。ディズニーとユニバーサル・スタジオは、ともに先方が中国交渉団と交渉することは全く知らなかった。現在、ユニバーサル・スタジオ側が突然現れたということは、彼らが胡煒とディズニーとの交渉を完全に知っていることを意味し、これは胡煒ら中国代表団には具合が悪い話だった。

　こうなったら受けて立つしかない。胡煒はすでに回避する道はないと思い、ユニバーサル・スタジオの「外人」を直接迎えることにした。

「本当に芝居をしているようでしたよ。その人物を一目見て確かにまずいと思いましたよ。そこに座っていたのは、まさにわれわれと交渉しているユニバーサル・スタジオの交渉相手のグランツ氏でした」と胡煒が言った。

　この人物はユニバーサル・スタジオの国際担当社長、全米監督協会会長、法律家、ユダヤ人で経験豊富な国際交渉のやり手だった。「そのとき、彼は部下とともにもったいぶった様子で、私を見ると作り笑いを浮かべて、『ここに泊まっていること知っていましたよ。それとあなた方がわれわれと交渉している以外に、ディズニーと火花を散らしていらっしゃることも知っていますよ』と言いました。その意味は『そんな子供だま

しはみんな知っている』ということです。後で、ひとしきりしゃべって帰りました。部下はその日の午後に予定していたユニバーサル・スタジオとの協定調印は、見込みがなくなりそうであるかもしれないと私に告げました。『様子を見よう』と私が言いました。」

　胡煒はそう言ったものの、内心不安だった。グランツは交渉の席ではいつも「古だぬき」のようだった。彼の本当の狙いは何だろう？

　はたして、その日の午後、ユニバーサル・スタジオから中国側に、協定調印をキャンセルするので、来る必要はない、と連絡があった。

「ちょっと行って、様子を見て来てくれ」と胡煒は部下を行かせた。

　帰って来た部下は、先方は誰も来ることはないが、どうしても来たいのであれば、「全権代表」胡煒が一人で来い、という内容を伝えた。

「彼らの態度から見ると、歓迎する気はありませんね。行かないほうがいいと思いますよ、主任！」

「なぜだ？」胡煒は目を見開いて、「行くぞ！　彼らが私を指名している以上、私は行く！」

　代表団のメンバーは「行かないほうがいいです」と心配した。

「どうしても行く。先方はわれわれに挑戦状を突き付けた。行かなければ、負けを意味する。われわれ中国人はいつ負けた？　彼らに負けたことは一度もない！　さあ、行くぞ！」

　彼は通訳一人を伴って、ユニバーサル・スタジオに赴いた。その足取りはしっかり、堂々としていた。

「こんにちは！」

「いらっしゃい！」

　ユニバーサル・スタジオ本部で、交渉団長のグランツと中国側全権代

表の胡煒が無表情な口ぶりであいさつを交わした。グランツを先頭に数十人のスタッフが「ガタガタ」音を立てて、胡煒の向かい側の席に座った。まさに泰山がそびえているような陣容だった。

　その反対側には中国側全権代表胡煒と通訳だけ、見るからに多勢に無勢だった。

　交渉？　いや、これは国と国との尊厳を掛けた戦いだった。

　グランツは強力な自陣営を見渡した後、胡煒に視線を集中し、その瞬間から、全米監督協会会長の名演技が始まったようだった。激越な調子で胡煒に向かって大声を張り上げた。

「あなたに対する尊敬の念を失いました。これまでずっと、あなたは尊敬に値する人だと思ってきました。今は違います。中国人に名誉を語る資格はない！」

　疑いなく「傑出」した演出だった。壁に激突してもおじけない猛牛のようなグランツは、部下の目の前で中国側全権代表を1時間にわたって痛罵した。

　終始にこにこしながら聞いている胡煒の様子を見たら、声がかすれ、疲労感を漂わしたグランツが突然いぶかしげに話しをやめ、「何か？　胡煒さん、あなたはどう思いますか？　われわれにどう釈明しますか？」

　平静な胡煒は依然としてにこにこしながら先方を見て、ゆったりと「ミスター・グランツ、部下の皆さんに対する演説はもう終わりましたか？」

　グランツはあっけにとられた表情でうなずき、「Yes」と言った。

「それでは、職員の皆さんを退席させていただけませんか？」

「OK.」

　そこで、職員は次々に退席した。最後に残ったのは4人だけ。グラン

ツと通訳、胡燁と通訳だった。

「尊敬するミスター・グランツ。今度は私がお話ししてよろしいですか？」

「please.」

「私は以前、あなたが手の届かないところにいる人だと思っていました。閣下は国際的な大演出家であり、交渉上手な人だと思っていました。今日は私が間違っていたことに気づきました。あなたは気が弱い普通の人なのですね」と胡燁が語った。

「……」

「そうじゃありませんか？ 私がはるばる中国から米国までやって来たのは、なぜだとお思いですか？ あなた方とビジネスの相談をし、提携について話し合うためです。いかにして貴社の中国浦東における投資の合法的利益を保障するか、いかにしてあなた方にもうけさせるか、それも大もうけしてもらうか、について話し合うためです。」

「しかし、なぜ、あなた方はディズニーと話し合っているのか？ 私たちの間に秘密保持協定があるではないか。」

「そのとおりです。われわれが来ている目的の一つがあなた方と提携について話し合うためで、秘密保持協定を結んでいます。しかし、尊敬するミスター・グランツ、著名な交渉戦専門家、お聞きしたいことがあります。私の質問は次のとおりです。私は中国上海の全権代表として、また上海浦東新区の行政長官として、全世界に向かって、全世界の数百社、数千社に向かって誘致活動を展開しています。われわれ双方の間に提携プロジェクトがあります。そこでお尋ねしますが、われわれはあなた方と提携プロジェクトについて協議する以外に、その他の世界的な大企業と協議してはいけませんか？ あなた方と同じように偉大なディズ

ニーと話し合ってはいけませんか？　もしこうした提携協議に問題があり、間違っているのであれば、私がここへ来て話し合っていることもディズニーに対して悪いのではありませんか？　しかし、ディズニー側はわれわれがあなた方と話し合っていることを知っていますが問題視していませんよ。彼らはわれわれが浦東開発のためにロスアンゼルスに来たのは1社、2社の米国企業を狙うだけでなく、全米の企業を含む世界の企業を招こうとしていることを知っているからです。」

　グランツは両目でじっと見つめながら聞いていた。顔色が変わった。「あなたが今、感情を込めてお話しになっていたのは何ですか？　間違っています！　大間違いですよ！　どんな理由があって、あれほど強硬に、道理の通らない非難をしたのですか？　我が国を非難したのですか？　浦東開放政策を非難したのですか？」

　グランツは頭を下げて、「Sorry。間違っていました。謝ります」と言った。

「No。だめですよ。Sorryで私に対する侮辱は帳消しにできると思いますか？　あなたの今の話は私を侮辱しただけでなく、私の国を侮辱したのですよ。それもあなたの部下の前で……。それが一回の『Sorry』で事足れりだと思いますか？」

　グランツは徹底的に受け身で、すっかり意気消沈していた。「どうすればいいか教えてください？」

「尊敬するミスター・グランツ。あなたは国際的な交渉専門家ですよ。私がお教えするならあなたの威望を損ないますよ。お考えください。」

　グランツは態勢を立て直し、うなずいて、「よくわかりました。ご指摘ありがとうございます。今日は大変失礼しました。私はわれわれのや

り方であなたとお国にお詫びの気持ちをお伝えします。」

　その翌日早く、ユニバーサル・スタジオ側から中国側との調印予定の協定書原案が届いた。

　胡煒は一目見て「OK！」と声を上げた。総額7億ドルの提携プロジェクト協定の本文で、米国側が100万ドル譲歩していたからだ。これが米国流の前日の非礼に対する謝罪だった。

　ユニバーサル・スタジオとの提携プロジェクト交渉は、その後も続いた。ライバル同士だったグランツと胡煒も友達になった。交渉の過程で、グランツはしばしば自分の席から立ち上がって、向かい側の胡煒の席まで行き、茶碗にお湯を注いだ。このとき、中国側副代表もごく自然に、自分の茶碗をグランツの手元に押しやった。するとグランツは顔をこわばらせて「No！ 私は団長にだけお湯を注ぐのです。」

　会場は笑い声に包まれた。

　その後、グランツは毎回交渉会場に来るたびに胡煒に特に丁重にあいさつし、興に乗ったときに、しばしば突然胡煒の前で膝を屈して「すみません」とかの言葉を繰り返した。彼は3回も膝をついたことがある。

　これには胡煒も参った。「私やみんなの前で跪いていただくのは感動的ですが、中国にはむやみに膝をつくべきではないという意味で、『男の膝下には黄金がある』という諺があります。あなたが膝を屈するのは私に対する敬意なのが分かりますが、あなたは全米監督協会に所属する方ですから演技なのでしょう。そうであってもあなたのごあいさつに心から感謝します」と言った。

　これを聞いたグランツは顔をしかめて、両腕を伸ばして、胡煒をしっかりハグし、「友よ！ 私の真の友よ！」と叫んだ。

交渉のテーブルでライバルだった二人はいい友達になった。グランツ氏はユニバーサル・スタジオの代表として中国側との提携プロジェクト交渉任務を獲得しただけでなく、胡煒の終生の友人となった。彼の子供が留学する際には胡煒を家に招き、子供の推薦人になることを依頼した。

　上海ディズニーの交渉からオープンまで、19年の歳月を費やした。その紆余曲折の折々に、胡煒のような人物が一線にいたからこそ、達成できたのではないだろうか。

　2016年6月16日、上海ディズニーランドが正式にオープンし、習近平国家主席、オバマ大統領（当時）が祝辞を贈った。このプロジェクトはついにピリオドが打たれた。習主席が言ったように、上海ディズニーランドプロジェクトは中米両国人民の高度の人文交流を生き生きした具体化した同時に、クロスカルチャー的な提携精神と時代に順応した創造的な発想を現した。プロジェクト完成後、ディズニー側は中国と上海の市場が驚くべき規模を持ち、巨大な利益を生むことを実感した。彼らはようやく上海人が言う「黙って稼ぐ」ことを思い知った。統計によると、ディズニーランドは開業後毎年1000億ドルの収入があり、周辺には2000億ドルの経済効果を引き出した。しかもこれにとどまらなかった。『浦東詩史』執筆の過程で、収録した胡煒のようなエピソードは少なくとも100編があった。胡煒自身の物語も少なくとも10編はあったが、他にも「国の喉」（元国務院新聞弁公室主任）、上海浦東新区初代主任兼書記を歴任した趙啓正、および前述の黄奇帆等々、すべて「大将級」の「張パパ」的な人物だ。

　上海の「張パパ」は、上海のさまざまな時代にさまざまな形で現れ、大上海人の風格を形作ってきた。

愛ありてこそ命は輝く

ここまで書いてきて、今日は2020年3月10日。この日、上海で太陽が見えた。暖かい。

　この日正午、習近平総書記が武漢に赴いたニュースを見た。これにはいくつかの重要な意義がある。

　第一に、党中央、国務院が武漢の感染拡大に対して戦疫の勝利を明確に認めたことだ。

　第二に、感染拡大の渦中にいた武漢の人々は陽光と温もりを欲していたが、習総書記を代表とする中央と全国人民が声援と慰問を届けたことによって、すべての武漢人、すべての湖北人に春の暖かさを感じさせたことだ。ロックダウンから今日まですでに50日以上が経過し、誰もが我慢の限界に達していた。家から出られず、連日、新型コロナウイルス感染症を恐れながら「在宅」を余儀なくされてきた。

　武漢人が今回経験した苦難、苦痛の地獄はこれ以上だったかもしれない。おそらく武漢ほど深刻な被害に遭った都市はその右に出るものがないだろう。武漢人に安否を尋ねるのは当然のことだ。

　さて上海は？　実際、感染拡大はどの都市、どの農村にとってもやすやすと乗り越えられるものではないが、武漢に比べれば他の所はずっとよかった。しかし、ここで振り返って見たら発見できたのは、次のような核心的な問題だ。

　つまり、都市の環境と都市の資質が、ときにそこの住人の運の良し悪し、寿命の長短を決定付けるということだ。そうではないだろうか？　武漢の感染拡大はこの三江の町を短時間の間に3000人余りも死に至らしめ、数百万人を危険な苦しみの坩堝（るつぼ）にたたき込んだ。彼らはきっと正常値をはるかに上回った心理的なストレスがかかったに違いない。一部

の幹部と機関の無能、凡庸さ、ならびに緊急事態下での医療資源の備蓄の欠如などの驚くべき状態があったことこそ、今回の感染拡大に巨大な災難をもたらし、人々に心の傷を負わせた重要な理由だったのではないだろうか?

　個人個人について言えば、どんな家庭に生まれ、どんな生活環境で成長したかは、非常に重要だ。現代人の一人として、どのような都市で生活し、その都市のレベルがどの程度なのかは、われわれの生命の長短、その質に深い関係があり、このたびの感染症の拡大は、さらにこの問題を明白に突き付けてきた。

　私はこの間、一貫してその偉大な都市に守られたから、その長所をしっかりと心に刻んだ。しかし、すべてが完璧ではなく、そんな天国のような世界は現実にはあり得ない。ただ、おそらくまさにそうした世界を作ろうとするが故に、われわれには未来への努力の余地があるのだろう。1月15日からここに滞在して50日余りになる。その間、二つのささやかなことが私を不愉快にさせた。その問題の所在をじっくり考えてみよう。

　一つの事件は2月25日前後のことだった。滞在しているホテルの玄関先にはすでにタクシーやその他の車が駐車するようになっていた。朝晩は私がジョギングに出掛ける時間だったが、その日ホテルを出たところ、駐車場で不愉快な光景を見てしまった。どこのタクシー運転手か分からないが、なんと食べ終わっていないインスタントラーメンや他の食べ物を停車していた場所にぶちまけた。そこから10メートルも行けば道の向こう側に2個のごみ箱があるのに……。私はこうした低レベルの行為に怒りを感じた。肉体労働をしている人に対しては尊敬でも、自分のものでもある都市で、どうしてそんな粗野で不潔な行為を直せないのか?

現在の大都市は一般労働者とは切り離せない。農民工、知識人、ビジネスパーソン、旅行者を、大都市は歓迎し、抱きしめ、尊重すべきだ。しかし、都会に入り、新しい場所で働いたり、旅行をしたりする以上、たとえ単に道を歩くときでも、あなたはこの街、この新しい土地の主人公の一人なのだ。あなたにはこの街を保護する責任があり、自分を愛するように、この街を愛すべきなのだ。わがままは許されないし、長年の癖をこの街に持ち込んではならない。資質を高め、国外に行ってもこうした細かなことに注意しなければならない。われわれは中国人なのだ。世界中が中国に注目している――数年前の「両会」で、国民の資質教育について、私は真剣に提案したことがある。今回の新型コロナウイルスの爆発は、急速に発展している過程にいる中国の目を覚まさせてくれると思っている。それは、国民の資質を問わざるを得ないということだ。そうしなければもっと多くの人を死なせ、傷つける。そこで、いくつかの「建議」をしようと思い立った。多くの人々が関心を持ってくれると思う。

　次に、もう一つの些細な事件とは―ホテルやショッピングモールに入る時、「拳銃」にそっくりな体温測定器が、まるで飾り物のように反応しないことがある。少なくとも私の場合、5回も6回も「小銃」の不具合を経験した。測っている人ではなく機器に問題があるのだろう。感染防止の鍵である関所で、1人でも、1回でも検温ミスがあれば、その後に感染爆発を招くかもしれない。そうしたことを防止するための「拳銃」だということは知っているが、その「武器」が信頼できなければ、結局、前線で敗北を喫することになりかねない。こうした些細なことを軽視してはいけない。中国人は「まあまあ」、「ほとんど」、「おおむね」で済ます行動が目立つ。かつての苦い経験を繰り返さないために、小さなミス

上海愛情街

Inspired and God-filled, it is greeting
The fire, and tears, and love alive.

有了倾心的人，有了诗的灵感，
有了热烈，有了眼泪，也有了爱情。

——俄罗斯 普希金Alexander Pushkin（1799~1837）
（美妙的瞬间）Wondrous Moment

を見逃さないことだ。

　今回の新型コロナウイルス防疫対策全般を「外部の人間」から見ると、大上海の的確な対処は目を見張るものがあった。私のみならず、2400万人の上海市民、１億人余りの長江デルタに住む周辺住人も同じように感じたに違いない。武漢救済、生産再開後の「感染第二波」の阻止の面でも満点だったと思う。

　実際、上海に感謝し、恩義に感じているのは私一人ではない。まず、武漢の人々だろう。上海は最初期に医療チームを送り込み、その人数は各省（市、自治区）の中で最多だった。１月24日、旧暦の大みそか、多くの上海の医療従事者が年越し料理を食べようとしていた矢先、武漢の前線からの一報を受けて、文字どおりに「はしを置いて」立ち上がった。春節前後の数日間の武漢人にとって、マスクは生命を守ってくれる盾だった。上海こそ最も多数の援助を行った都市であり、結局のところ、応勇市長に至るまで武漢に「送り」込んだ*。

　2月10日以降、人々が都会に戻り、職場復帰し、生産が再開されると、重要な交通ハブとして、上海の空港、鉄道駅の負担が巨大になった。人口最多、流動性最大の全長江デルタは、上海のため、長江デルタのため、全中国のために、現地の人々はその時期に、「牢獄」に入れられていた当時よりもはるかに疲れ、つらくなるほど懸命に働いた。しかも、そのときにこうした無私の貢献に関心を持つ人は極めて少なかった。人々の視線は武漢、湖北に向けられており、かつ次第に国外の新型コロナウイルスの感染拡大情勢に向けられつつあったからだ。

　非常事態宣言が出てから2月末まで、上海は防疫、患者治療の面においても、今はやりの言葉で言えば、「ハードコア」という言葉で形容で

　＊訳者注：応勇は２月13日に中国共産党湖北省委員会書記に任命、3月23日に湖北省人民代表大会常務委員会主任に選出された。

きる。累計の確認症例342例（3月8日現在）、死亡3例の数字から見ると、これは最初内外の一部の機関が予測した80万人という感染者数に比べてどれほど少ないか？ 端数の端数にも届かず。しかも342例中、3分の1は外部——主に武漢や湖北——から上海にやって来た人たちであり、あるいはこの一週間に国外の感染エリアから「輸入」された確認患者で、上海自体の感染者はただ200人前後だった。2400万人余りのうちにただ200人の感染者だというのは、今回のような大流行において奇跡ではないだろうか？ 上海は真っ黒な雲のように拡大するコロナ禍の中で、「ハードコア」的にこの美しく偉大な都会を守り、「ハードコア」的に私を含む2400万人余りの庚子の年の春節をこの土地で送る人々を平安、健康で、負傷することもなく暮らしていけるようにさせた。こういうことは賛美、恩義に値しないだろうか？

　当然そうすべきである。必ずそうすべきである。永遠にそうすべきである。

　普段から、われわれは愛があるから、夢があるから、人は生き続けられると言っている。それでは、この大上海がわれわれを平穏に、健康に生き続けさせ、コロナ禍が次第に消えつつある今、われわれはこの重要な文字、「愛」を思い起こすべきなのか否か？

　私はそうすべきだと思う。少なくても私自身はそう思っている。

　何が愛か？ 愛は各人の内心にある最も幸福で、最も温かい感情であり、愛は各人の内心にある最も激動し、最も興奮する感情であり、愛は各人が生きていく原動力と希望の感情であり、愛はわれわれ各人の生命にとって最も重要な力を与えてくれる源泉であり、愛は最も華麗に燦然と輝く光芒なのだ。愛は、身分が低い人に宝の山の前に立つように自己の尊

厳を感じさせ、高貴な人に見返りと見返りの中から得られる偉大な精神の昇華を理解させる。愛は、政治家に執政者として合格するために、誠心誠意民衆を見舞ったり、民衆に寄り添ったり、政治に励んだり、正しくて公明正大な善政を行う国家、政体、制度を構築したりさせる。

　社会と人は愛から離れられない。都市にはなおさら愛がなければならない。愛がある都市は永遠の光を保持できる。また愛がある都市は活力と生気にあふれることができる。愛がある都市は、各種のリスクや危機に防御し、抵抗し得る強い能力を絶えず創造できる。愛がある都市は一つ一つの命をもっと鮮やかに花開かせることができる。

　まさにこれを機に、私が「愛」という神聖な文字をより一層理解した。憎むべき新型コロナウイルスがあらゆる素晴らしいものを奪い去った2020年のバレンタインデー(2月14日)、私はわざわざ浦東からフェリーに乗って黄浦江を渡り、対岸の虹口区へ行った。ここは伝説によると上海で最もロマンチックな「愛情街」だそうだ。私はこの街で、ファッショナブルでありながらも古い「愛の源」を探した。

　上海「愛情街」の正式名称は虹口区「甜愛路」と言い、南は四川北路から北は甜愛支路に至る。全長はバス停二つの距離ほどだ。一人の大金持ちがここに住んでいたという言い伝えがある。この家にいた田愛という名の女の子は、小さい頃から知識豊かで礼儀正しく、大変鋭くて、大きくなると才色兼備だけでなく、性格、気質も温和だった。田家にはもう一人鋭くて仕事がよくできる牛飼いの阿祥がいた。彼は田愛と子供の頃から一緒に成長し、しばしばお嬢さんと一緒に勉強したり遊んだりした。そのうち二人の間に愛情が生まれ、甜美な愛情が実を結んだ。恋愛中の二人はしばしば、手に手を取って、この静かな道をゆっくり歩いた

……。それで、後の人がこの道を「甜愛路」と呼ぶようになった。

　改革開放後、甜愛路という名前が次第に上海の若者たちの知るところとなり、恋愛中の青年男女がこの道を「告白の場所」、「祈願の場所」、「初めて手をつなぐ場所」さらに「プロポーズの場所」として有名だ。虹口コミュニティーはこの評判に便乗して、甜愛路を「上海一のロマンチックストリート」と銘打って売り出した。

　両側から緑したたるメタセコイアの巨木が覆いかぶさる静かなこの道を散歩するとき、道端の塀に掲げられた28枚の「有名人の愛情論」と題する愛情語録や愛情詩を黙読しながら、長い長い「ラブ・ウォール」に数知れぬ若者たちがさまざまなスタイル、さまざまなイラスト付きで書いた「愛情宣言」の落書きを見ると、すがすがしく甘い愛の味が心の底からそこはかとなく沸き起こって来る。

　これがコロナ禍の中の上海の「バレンタインデー」だった。三々五々散策する青年男女を見掛けたが、マスクをしていて手をつなぎ、「ラブ・ウォール」に「ラブバード」や「愛情宣言」を書いていた。二人の70歳以上と思われる男女も手をつないで、愛情に満ちあふれたこの道を歩いている姿が私の目に止まった。

「こんにちは！　上海は初めてですか？」私は好奇心に駆られて声を掛けた。二人は足を止めて、気軽に「わしらは金婚式を過ぎていましてね。毎年、バレンタインにはここに二人で来ることにしているんですよ。ウイルスは襲い掛かって来ていますが、わしらの愛情には手出しできませんよ。」

　ハハハ……、老上海っ子の話に思わず笑った。

「写真を撮ってもらえませんか？」おばあちゃんは携帯を渡してくれた。

「さあ、撮りますよ！」私はシャッターを押してあげた。
「どうもありがとう。」

　二人はあらためてしがみついて歩いて行く。私の耳に二人が口ずさむバラードの詩句が聞こえてきた。

　　　見上げてご覧、あの星たちを
　　　愛する人よ！
　　　私は空になりたい
　　　そうすれば1千万の目で
　　　もっとよく君のことを見つめられる

　このとき私には、上海が「愛情の街」に見え、「愛情の街」の金婚夫婦や行き交う恋人たちによって、感動させられた。故に、後に黄浦江のフェリーに戻して、コロナ禍を乗り越えつつある大上海を見渡すと、込み上がるうれしさを抑えられなかった。

　歌いたい。上海に向かって歌いたい。

　彼女の美しさを歌おう。彼女の私に対する愛を歌おう。

　彼女に伝えたい。わが祖先はかつてあなたに抱かれていた。私もあなたに抱かれている。そして、次の世代も、あなたに抱かれ、ここにやって来て、あなたのお乳を吸い、あなたとともに光り輝く……。

2020年1月15日−3月10日
上海浦東にて

愛ありてこそ命は輝く　322 — 323

# 上海に敬礼！

　庚子年の春節をコロナ禍の「在宅」で迎えるとは誰しも想像しなかった。だれの責任か？　誰の罪か？　恐怖と苦痛の中で、われわれは想像を絶する苦難を経験し、国は巨大な損失を被った。武漢が経験した悲痛は、痛切に心を打つ。

　しかし、同じような危険に襲撃されても、異なる都市、異なる地区では異なる反応をするものだ。例えば、私が書いてきた大上海は秩序だって、科学的に、果断にコロナ禍の猛威を食い止め、人民の生命の安全を守った。もちろん、賞賛に値する人々はその他の省（区、市）にもいる。彼たちも見事な防疫対策を講じた。

　私自身は突如発生したコロナによって、この大上海、私が愛してやまないこの都会とともにこの間──今日までちょうど60日間──を過ごすことになるとは思いもよらなかった。

　その間、何をしていたか？　何度も言ってきたように一日たりとも休息の日はなかった。最初の15日間はずっと取材に追われた。「在宅」を強いられながら、武漢の状況に注目し、感染しないように注意を払い、同時に「貧困脱出」をテーマにした作品の執筆もしていた。後に感染拡大が深刻化するにつれて、上海各地の戦疫状況を見聞きすると、私は平静ではいられなくなった。何か書いておくべきだろうと思った。私が強烈に感じたのは次の点だ。

　こうしたコロナ禍に直面して、依然として何事にも無関心だったら、それは非人道的であり、良心に欠ける態度ではないか、ということだった。私がずっと信じているのは、武漢の混乱状況、武漢の政府関係者が

犯した過ち——中には犯罪的な行為さえある——に対して、誰かが前に出てきちんと批判しなければならない。また、武漢人民が受けた苦難ならびにウイルスと戦った精神は同情と尊敬に値する。同様に、武漢のために、武漢人民と湖北人民のために、「逆風」に向かって無私の貢献をいとわず、命までも落とした医療従事者、警備関係者、一般住民にも賛歌を献じなければならない。

　もし、こうした賛美が「安っぽい」と思われるなら、何が高貴か？ もし、こうした賛美が「お世辞」、「へつらい」と見られるなら、世界中のいかなる正義、公平、英雄、偉大さを否定することとイコールではないか？ しかも、これは非人道的な表現ともイコールではないか？

　コロナ禍発生後、私自身の経験を含めて、見たり来たりしたことに数多くの恨み、怒りを感じ、あの問題、この問題を指摘してきた。それ自体に間違いはないが、冷静になって考えてみると、いくつかの疑問が頭に浮かぶ。

　こうした事態を何人が真に望んでいるか？ さらに、それが今日のような状況に発展することを何人が想像しただろうか？ こうした想像を絶し、いまだに真相が明らかになっていないウイルスの襲来に、上層部や管理者の何人が、またいくつかの都市、農村が遭遇したことがあるか？

　ほとんど一人も、一人の幹部も、ないし一人の医師も、専門家も、新型コロナウイルスという狡猾な敵に遭ったことがない……。そうなら、仮に市長、省長、ある病院の院長だとして、本当に頭脳明晰で間違いを微塵も犯さないということができるか？ 私はそんな人がいるとは思えない。あるいはいるとしてもごく少数だろう。そう考えると、憤りも多少減少し、あるいは理性的になり、物事の是非をより客観的に判断できようになった。

　実際、いかなるリーダーでもあまり知らないことからよく知っていてさまざまな困難な局面に手慣れて対応できることまでの成長プロセスがある。われわれは寛容に理解すべきであり、彼らに自己反省、自覚成熟

の余地を与えるべきだろう。そうして、過ちを犯さなくなり、繰り返さなくなり、損失が大きい回り道に入らなくなる。

　本書を書こうとしたのは全くの「意外な出来事」であり、あるいは全くある種の異なる状況下での感情表現だ。

　17年前の北京SARSのときに、一番早く「民族危難の時、作家は欠席してはならない」と呼び掛けたのは私だった。当時、SARSが発生した際、各業界が前線支援作戦を展開していたが、私はわれわれ作家は何も行動を起こさないのかと感じた。そこで、私は当時の中国作家協会党組織書記の金炳華に次のように申請した。

　前線で取材して、SARS感染の現状とSARSと戦っている人々について書きたい。ただちに同意の回答が来た。これで、私と高洪は数人の軍人系の作家を伴い、前線取材に赴いた。私は調査取材時間が一番長かった作家の一人に違いない！　私の他に、畢淑敏、王宏甲らもいて、後も素晴らしい作品を書いた。当時、私が書いた『北京保衛戦』は最も早くて比較的にまとまった「防疫戦役ルポ」として、『文匯報』に6ページにわたって連載された。ところが、17年も経ってから、SARSよりも強力かもしれない感染症を体験するとは！　それも二回とは！　でも誰が想像しただろうか？

　私自身はすでにあのときのような勇気がなく、しかも武漢で爆発した新型コロナウイルスは55歳以上の男性にとっての脅威が一番大きいと言われているから、もし、武漢に取材に行けば、おそらく帰って来られなかっただろう。

　私は上海でコロナ禍を過ごすことが私自身にとって最善の選択肢だったと思う。「在宅」というホームステイ——私は「ホテルステイ」——も戦闘だとみんなが言っていたからだ。しかし、後にコロナ禍の拡大と上海の戦疫は私を大いに感動させた。さまざまなことが私を「ステイホテル」で我慢できなくさせて、しばしば、こっそり街に出かけ、黄浦江のほとりを歩き、ショッピングモールや埠頭に行き、コロナ禍の上海をこ

の目で見て歩いた。こうして、普段では見られない収穫と感動があった。例えば、野良猫一家との交流、例えば、まるで万引きするような気持ちで買い物……。当然、私は上海に身を置きながら、武漢と比べていた。しかも、何回も大上海から与えられる微に入り細を穿つ配慮に癒された。同時に、上海が果断な政策によって（武漢とは）異なる結果をもたらしたこと、ならびに嵐を恐れない実力を備えていたことを感じることができた。この60日間が私にとっての最も完璧で充実した「潜入生活」と「体験生活」の過程になった！ 故に、まだ何かを書かなければ、それは「作家」の肩書と大上海の恩情に応えることができないと思う。

　かくして、本書は生まれ出た。

　非情を書いていたときは涙があふれ、愉快な話題を書くときは声を上げて笑い、心温まる話題に触れるときは大上海に敬礼した。上海の表情は、この偉大な大都会と2400万人余りの市民のコロナ渦中の表情であり、市民の戦疫の表情であり、同時に、ここに身を置いている私の悲喜こもごもの表情もあった。それは真実で、ときに悲愴であり、もっと多くのときは苦痛と感動が織りなす複雑な感情だった。この街を書いたのは、私のこの街に対する礼賛と感恩ということにしておきたい。さらに、それを他の街への贈り物になることも希望する。上海は間違いなく手本にすべき所だからだ。上海の表情から、「上海はなぜ上海か」、「上海はなぜできるのか」の基本的な道理が理解できる。

　でも、分かっている。この速成の『上海の表情』は、私個人の目に映った抗疫光景の前期に過ぎない。今後、ここは依然としてさまざまなより厳しい事態に直面するだろう。そのときの「上海の表情」は、さぞかし別の精彩を放ち、驚異に満ちるだろう。

　ここで、もう一度、大上海に心から敬礼する！


2020年春

# 上海の表情  感染発生から収束までの55日間
新型コロナウイルスとの戦い

2021年8月15日　第1版第1刷発行


著　者　　何 建明

訳　者　　波多野 優

発行人　　穆 平

発行所　　株式会社 尚斯国際出版社

　　　　　〒101-0051　東京都千代田区神田神保町3丁目11番
　　　　　　　　　　　安田神保町マンション505
　　　　　　　　　　　電話 03-4362-0075

発売元　　株式会社 日本出版制作センター

　　　　　〒101-0051　東京都千代田区神田神保町2丁目5番
　　　　　　　　　　　北沢ビル4F
　　　　　　　　　　　電話 03-3234-6901

デザイン　　大野愛子

印刷・製本　株式会社 日本出版制作センター

●定価はカバーに表示してあります。
●乱丁、落丁本がございましたらお取り替えいたします。
●本書の一部もしくは全部をコピー、スキャン、デジタル化等の無断複製をすることは、
　著作権法上の例外を除き禁じられています。

Shoshi International Publishing Inc.
Printed in Japan
ISBN 978-4-902769-31-9

上海の表情
Copyright©2020 by The Writers Publishing House Co., Ltd.
Japanese translation rights arranged with "Shans" Beijing International Cultural
Exchange Company LLC.
through Shoshi International Publishing Inc., Tokyo.